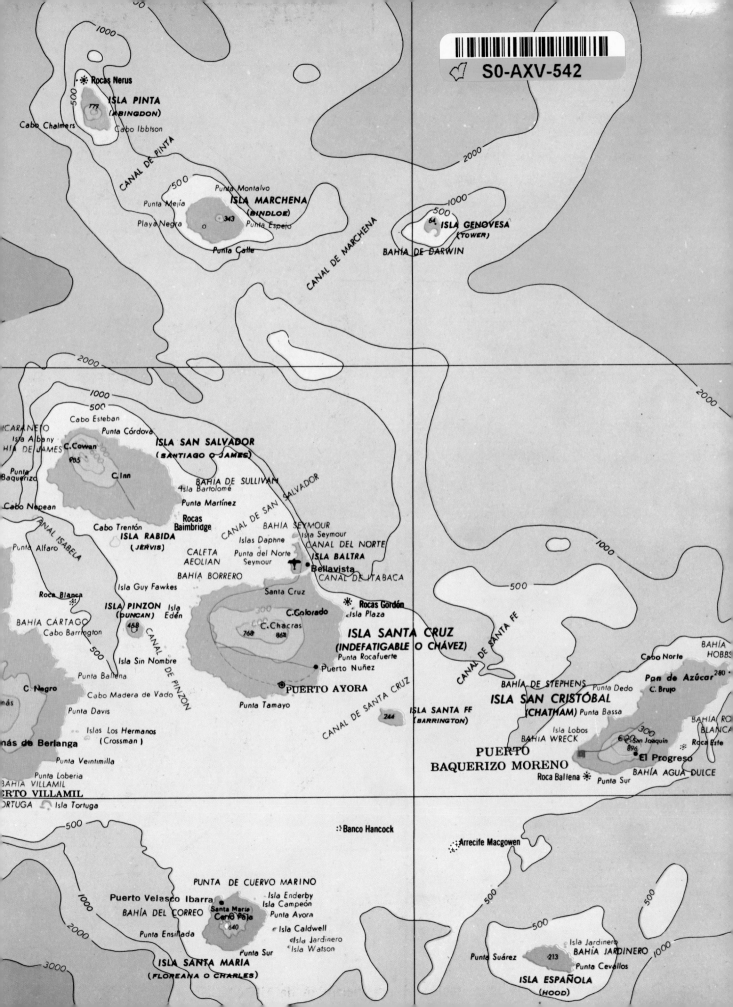

GALAPAGOS

gaëtan du chatenet

Membre correspondant
du Museum national
d'Histoire naturelle de Paris

PREFACIO

Este libro de bella presentación artística constituye un alegato en favor del derecho de la Naturaleza a su preservación y defensa. De su lectura se infiere que debe darse excepcional amparo a la fauna y flora provenientes de un escenario peculiar; el Archipiélago de las Galápagos.

Un joven y prestigioso naturalista francés, de la talla mental y vocacional de quienes abrieron caminos a la investigación científica termina de redactarlo. Gaetán du Chatenet, especialmente entomólogo, es asimismo el más brillante pintor de pájaros, contemporáneo.

Su pluma y sus ilustraciones nos presentan las iguanas de la supervivencia ante los siglos; los quelonios de la época antigua, con el blindaje caprichoso del codiciado carey; el albatros de las largas travesías, el pinzón, único pájaro que se alimenta mediante el uso de un instrumento. En fin, las especies infinitas del mundo animal, constituyendo el laboratorio apasionante para especialistas de varias disciplinas.

Suelo, paisaje, vida, con pasado telúrico de fuerte y primitiva constancia: he ahí la descripción de las páginas que siguen a estas breves líneas. El génesis, el marco abrupto, el misterio, la doctrina y teoría de los sabios acerca de todo ello, emerge del contexto. Y el recuerdo de la aventura está también presente. Proezas de los descubridores con brújula precisa y andanzas peligrosas de los traficantes de la riqueza de otrora; piratas que surcaron mares buscando, presa abundante y refugio seguro en las costas escondidas.

Navegantes que van y que vienen: las aves migratorias que visitan otro hemisferio, y que retornan para posarse en el mismo árbol donde nacieron; instrumental de orientación desconocido, que consulta la rosa de los vientos, el pasaje lunar o las estrellas. Aves de gran envergadura que quizás transportan en el dorso a las aves de corto alcance. Vaya con el enigma y la leyenda que avivó la curiosidad de Aristóteles en el mundo clásico y aún en nuestros días.

Las Galápagos están descriptas como islas de origen volcánico, con asiento de lava que suprimió la vida durante la ignición geológica, pero que curiosamente permitió en otros milenios la estancia lenta de especies casi extinguidas hoy, en varias latitudes. Las viejas islas adustas y perdidas suelen ser prisión del tiempo, y de sus frutos. Se defienden del proceso novedoso mediante las procelosas aguas circundantes rechazando con su soledad estéril la radicación de los buscadores de mercado e intercambio.

Múltiples causas naturales no bien precisadas todavía hicieron de las Galápagos un raro laboratorio biológico sobre una superficie que fué presuntamente yerma. Después, pocos habitantes humanos, pero numerosos ejemplares primitivos de una fauna silvestre, calificada como autóctona, endémica por los sistematólogos del presente y a la cual se procura defender de la agresión depredadora de una fauna continental llevada por la imprevisión de los mismos colonos.

La vida se entretiene en las costas, en los manglares, en el piso opaco de la piedra pómez, en la diversidad de la creación que se oculta, que repta, que navega o que bellamente vuela como las fragatas y los albatros. La botánica entrelazada se convierte en alimento, abrigo, y eclipse en la pátina del mimetismo ondulante, cambiante y oportuno.

Este libro de amplio espectro nos conduce a un medio originario, --depósito y reserva,-- aislado en el Pacífico, profundo como muestra dinámica de un tiempo suspendido, sin apremios, sin innovaciones, con un calendario retardado donde se registra el mensaje indescifrable de las aves que persiguen el ciclo de las eternas estaciones.

La textura científica de la obra abre vertientes a la investigación como también a la imaginación, frente a un panorama integrado por imágenes distintas y distantes de las conocidas por el forastero que transita comunes u obligadas rutas terrestres y marítimas. El pensamiento, -aún profano en lo que concierne a ciencias naturales,- contacta el pasado y se adentra en las teorias de la evolución para conjugar, --con religión o sin ella,-- el futuro de la biosfera y los pronunciamientos de la genética.

Frente a ese telón ecológico ancestral que no debe perderse, hallamos la iniciativa esforzada y certera del Gobierno del Ecuador, defensor de un patrimonio valioso, trascendente, de interés científico universal. Cabe consignar asimismo que la Unesco ha cumplido en el Programa de las Naciones Unidas para el Desarrollo, un planeamiento de señalada importancia en favor de la fuente biológica de las Galápagos, jerarquizando la ciencia, la información, la cultura y la preservación de los recursos naturales.

R. BOTTO
Embajador, Delegado Permanente
de la Oficina de Educación
Iberoamericana ante la UNESCO.

AVANT-PROPOS

Cet ouvrage, artistiquement conçu, se veut une plaidoierie en faveur de la nature, de sa préservation et de sa défense. A sa lecture, nous réalisons l'ampleur de la protection qui doit être accordée à une faune et à une flore appartenant à un milieu aussi particulier que l'Archipel des Galapagos.

Un jeune naturaliste français, Gaëtan du Chatenet, entomologiste de son état, et l'un des plus éminents peintres animaliers contemporains, nous fait découvrir, grâce à sa plume et à son pinceau, les iguanes qui ont défié les siècles, les chéloniens des ères révolues, revêtus d'étranges armures d'écaille, l'albatros, familier des grandes traversées, le pinson, le seul oiseau au monde à utiliser un instrument pour capturer ses proies. Les espèces les plus diverses d'un monde animal qui est au regard des spécialistes des diverses disciplines, un passionnant laboratoire, comme le passé tellurique qui a marqué d'une puissante et primitive empreinte la terre, les paysages, et la vie qui les anime, sont évoqués dans les pages qui suivent ces brèves lignes.

Dans un tel contexte, le milieu primitif, sa genèse, le mystère dont elle s'entoure, les théories et les doctrines qui s'affrontent à son sujet, nous deviennent perceptibles.

Un parfum d'aventure, demeuré toujours présent, nous rappelle les hauts faits des premiers explorateurs, armés seulement de leur précieuse boussole, les prouesses fabuleuses des trafiquants d'autrefois et les périls affrontés par les pirates qui sillonnaient les mers, à l'affût de leurs proies, et en quête d'un repaire ignoré, au plus profond des baies d'une côte inconnue.

Tels de grands voyageurs qui effectuent le tour du monde, les oiseaux migrateurs, autres navigateurs, s'envolent pour l'autre hémisphère et reviennent se poser sur l'arbre qui les vit naître. Consultant une rose des vents inconnue, ils s'orientent d'après les mouvements de la lune, et suivent la route des étoiles. Ces oiseaux au vol puissant, transportent-ils sur leur dos leurs frères les plus faibles, comme le prétend une antique légende ? Fable qui éveillait la curiosité d'Aristote, à l'époque classique, et qui reste toujours une énigme de nos jours.

Les Galapagos sont considérées comme des îles d'origine volcanique, érigées sur une plate-forme de lave. Curieusement, ces laves, dès la fin de leur ignition, ont permis la survie, au cours des millénaires, d'espèces qui se sont éteintes sous d'autres latitudes.

Sur cet archipel austère et isolé, le temps s'est arrêté, isolant pour toujours les êtres qui le peuplent.

Ces îles ont échappé au courant novateur de l'évolution, grâce aux eaux impétueuses qui les entourent, écartant à jamais, de par leur stérile solitude, les immigrants en quête de territoires favorables à leur établissement et à leur multiplication.

Diverses causes naturelles, encore imprécises, ont fait des Galapagos, qui furent jadis considérées comme un désert, un étonnant laboratoire biologique. Actuellement encore, le peuplement humain est insignifiant, mais nombreuses sont les espèces primitives qui composent la faune sauvage.

Ces espèces, que les systématiciens qualifient d'autochtones, et considèrent comme endémiques pour la plupart, il est nécessaire de les défendre contre l'agression d'une faune continentale dont l'arrivée est due à l'imprévoyance des hommes eux-mêmes.

La vie s'est développée sur les côtes, parmi les mangroves et les sombres aspérités d'un sol de pierre ponce; elle s'est diversifiée en de multiples espèces qui se dissimulent, rampent, nagent ou volent majestueusement comme les frégates ou les albatros. Au sein d'une nature qui est à la fois son aliment et son refuge, la vie animale se fond grâce à un mimétisme en perpétuelle évolution.

Ce livre évoque l'aube originelle d'un univers isolé dans le Pacifique, qui est à la fois les archives et le musée d'un monde primitif, ignorant les contraintes et les innovations, où le temps a suspendu son vol. Sur ce calendrier ne s'inscrit que le message indéchiffrable des oiseaux qui poursuivent leur cycle saisonnier en une ronde éternelle.

La trame scientifique de l'ouvrage ouvre la voie à l'observation comme à l'imagination. Face à ce panorama, évoquant un monde lointain, ces images semblent différentes de celles que connaît l'étranger qui a parcouru d'autres routes, marines ou terrestres, selon son désir, ou au gré du hasard.

A la lumière du passé, la pensée, lorsqu'elle est profane en matière de sciences naturelles, s'initie aux théories de l'évolution et aux révolutions de la génétique.

Conscient qu'il lui fallait préserver une aire écologique d'une extrême originalité et défendre un patrimoine d'une valeur sublime et d'un intérêt scientifique universel, le Gouvernement équatorien a pris une initiative courageuse et justifiée.

L'UNESCO, de même, a mis au point, dans le cadre du Programme des Nations Unies pour le Développement, un plan de première importance, en faveur des richesses biologiques des Galapagos, intégrant ainsi dans un contexte scientifique l'information, la recherche et la conservation des ressources naturelles.

R. BOTTO
Ambassadeur, Délégué Permanent
du Bureau d'Education Ibéro-Américain
auprès de l'UNESCO.

BY WAY OF INTRODUCTION

The present artistically produced work is meant to be a plea in favour of the preservation and defence of nature. In reading it, we realise the extent of the protection which must be given to a fauna and flora belonging to such a special environment as that of the Galapagos Archipelago.

A young French naturalist - the entomologist Gaëtan du Chatenet, who is also one of the most eminent contemporary painters of animals - makes us acquainted, by means of his pen and brush, with the iguanas which have survived through the centuries, the chelonians from the remote past with their strange armour of shell, the albatross which haunts the high seas, and the Galapagos finch - the only bird in the world to use a tool in order to get at its prey. In the pages which follow this short introduction are described the widely varying species of an animal world which, in the eyes of specialists in the various disciplines concerned, constitutes a fascinating laboratory, and the geological past which left its powerful, primitive mark on the country and the wild life which peoples it.

In such a context, we become aware of the primitive environment and the mystery surrounding it, and the theories and doctrines confronting one another on this subject.

A whiff of adventure, which still remains, recalls the great deeds of the first explorers, whose precious compass was their only equipment, the fabuluous prowess of the traders of former times, and the perils faced by the pirates who ploughed the seas in search of their victims, looking for a concealed hiding place in the deepest recesses of some bay along these neglected coasts.

Like great travellers sailing round the world, those other navigators - the migratory birds - set off for the other hemisphere and return to perch on the tree where they were hatched. Consulting a wind rose of which we know nothing, they guide themselves by the phases of the moon and follow the road uf the stars. Do the more powerful birds carry their weaker brethren on their backs, as an ancient legend tells? This was a story which aroused the curiosity of Aristotle and which still remains a problem today.

The Galapagos Islands are considered to be of volcanic origin and built on a platform of lava. The odd thing is that, once this lava had cooled off, it enabled species which have disappeared from other latitudes to survive for millions of years.

On this austere, isolated archipelago, time has stood still, isolating forever the species living there.

These islands escaped from the main current of evolution owing to the raging seas which surround them and which provide a permanent discouragement to any immigrants in search of territories where they could settle and multiply.

Various natural causes, not yet precisely determined, had made Galapagos, formerly considered as a desert, into an astounding biological laboratory. Even today the human population is insignificant, but the number of species composing the wildlife is considerable.

These species, which naturalists refer to as indigenous and the majority of which they consider to be endemic, must be defended against aggression by a fauna from the mainland, the arrival of which was due to Man's lack of foresight.

Life evolved along the coast among the mangrove swamps and the sombre asperities of a soil of pummice stone; it diversified into many species which hide, crawl, swim or fly majestically, like the frigate bird and the albatross. Animal life merges into nature, which is both its source of food and its refuge, thanks to a permanently evolving mimicry.

This book tells of the first dawn of a universe isolated in the Pacific, which constitutes both the archives and the museum of a primitive world free of constraints and innovations, where the flight of time had been suspended. On the calendar all that is recorded is the indecipherable message of the birds which pursue their seasonal cycle in a perpetual round.

The scientific thread running through this work opens up the road to both observation and imagination. Confronted with this panorama reminiscent of a remote world, the foreigner finds that these pictures look different from those he has seen when following, by accident or design, other land and sea routes.

By the light of the past, his thoughts, even if he knows nothing of natural science, are initiated into the theories of evolution and the revolutions of genetics.

The Government of Ecuador, conscious that it had a duty to conserve an ecological area of extreme originality and defend a heritage of supreme value and universal scientific interest, has taken a courageous and fully justified step.

In the same way, as part of the United Nations Development Programme, UNESCO has drawn up a very extensive plan in favour of the biological wealth of Galapagos, integrating information, research and the conservation of natural resources into a scientific context.

R. BOTTO
Ambassador, Permanent Delegate
of the Ibero-American Bureau of
Education to UNESCO.

VORWORT

Dieses künstlerisch gestaltete Werk hat sich die Bewahrung und den Schutz der Natur zur Aufgabe gestellt. Beim Lesen wird einem sofort das Ausmass des Schutzes bewusst, dessen eine so aussergewöhnliche Tier- und Pflanzenwelt wie die der Galapagos bedarf.

Gaëtan du Chatenet, ein junger französischer Naturwissenschaftler und Entomologe, zugleich einer der hervorragendsten zeitgenössischen Tiermaler, vermittelt uns mit Hilfe von Feder und Pinsel die Bilder von Leguanen, die die Jahrhunderte überdauert haben; von seltsamen, mit Schuppenpanzern versehenen Schildkröten längst vergangener Zeiten; von Albatrossen, für die das Überqueren von Ozeanen eine Gewohnheit ist; von Finken, den einzigen Vögeln auf der Welt, die ihre Beute mit Fanggeräten erjagen. Die verschiedensten Arten eines Tierreichs, die für die Fachleute mehrerer wissenschaftlicher Richtungen ein höchst interessantes Forschungsgebiet darstellen, sowie die tellurische Vergangenheit, die in dem Boden, den Landschaften und in allem, was da kreucht und fleucht eindrucksvoll und unverfälscht erkennbar ist, all das wird in diesem Buch erläutert.

Darin werden dem Leser der ursprüngliche Lebensraum, seine Entstehung, das Geheimnisvolle, mit dem er sich umgibt, sowie die Theorien und Doktrinen, die bei seiner Erklärung aufeinanderprallen, verständlich.

Ein ständiger Hauch von Abenteuerlust erinnert uns an die Grosstaten der ersten Forschungsreisenden, deren einziger Ausrüstungsgegenstand ein Kompass war; an den unglaublichen Wagemut der damaligen Schleichhändler und an die Seeräuber, die auf den dortigen Meeren auf Beute ausgingen, in den tiefsten Buchten einer noch unbekannten Küsten einen sicheren Unterschlupf suchend.

Wie Reisende, die sich auf eine Weltreise begeben, fliegen die Zugvögel - diese Segler der Lüfte - in die andere Hemisphäre, und lassen sich bei ihrer Rückkehr auf dem Baum nieder, wo sie ausschlüpften. Sie befragen eine uns unbekannte Windrose; sie richten ihren Flug nach dem Lauf des Mondes und folgen der Bahn der Sterne. Tragen diese Vögel mit ihren mächtigen Schwingen wirklich ihre schwächeren Gefährten auf dem Rücken, wie es eine antike Legende besagt? Die Fabel erweckte schon im griechischen Altertum die Neugier des Aristoteles und sie bleibt auch heute noch ein Rätsel.

Die Galapagos werden als Inseln vulkanischen Ursprungs angesehen, die sich auf einer Plattform aus Lava aufbauten. Sobald diese Laven ausgeglüht waren, haben sie merkwürdigerweise, im Laufe der Jahrtausende, das Überleben von Arten ermöglicht, die in anderen Breitengraden schon ausgestorben waren.

Auf diesem kargen und isolierten Archipel hat die Zeit ihren Lauf angehalten; für immer hat sie die Lebewesen, die ihn bevölkern, von allen anderen getrennt.

Diese Inseln blieben von der Entwicklung der Zivilisation unberührt, und das dank der ungestümen Gewässer, die sie umspülen. Ihre sterile Einsamkeit hat Immigranten auf der Suche nach Siedlungsland ferngehalten.

Verschiedene, noch nicht genau erforschte natürliche Ursachen, haben aus den Galapagos - die man früher für eine Wüste hielt - ein erstaunliches biologisches Laboratorium gemacht. Auch heute noch ist die menschliche Bevölkerung unbedeutend, zahlreich dagegen die Arten, aus denen sich die Tierwelt zusammensetzt.

Die Systematiker bezeichnen diese Arten als eingeboren und betrachten sie zum grössten Teil als andemisch. Es ist unbedingt notwendig, sie gegen die Ein- und Angriffe einer kontinentalen Tierwelt zu verteidigen, deren Auftreten der Unvorsichtigkeit der Menschen selbst zuzuschreiben ist.

Das Leben hat sich an den Küsten zwischen den Mangroven und den dunkel-farbenen Unebenheiten eines Bimssteinbodens entwickelt; es hat vielfältige Arten hervorgebracht: Kriecher, Schwimmer und majestätische Flieger wie die Fregattvögel oder die Albatrosse. Die Tiere der Galapagos leben in totale Übereinstimmung mit der sie umgebenden Natur. In ihr finden sie Nahrung und Zuflucht. Und das dank einer in ständiger Entwicklung begriffenen Mimikry.

Dieses Buch beschreibt den Uranfang eines im Pazifik isolierten Universums, das zugleich Archiv und Museum einer Urwelt im Urzustand darstellt, die keinen Zwang und keine Neuerungen kennt und wo die Zeit stillsteht. Dieser Kalender enthält nur die unentzifferbare Botschaft der Vögel, die den Zyklus der Jahreszeiten in ewiger Runde vollziehen.

Beobachtungsgabe und Einfühlungsvermögen geben dem wissenschaftlichen Charakter dieses Werkes sein so besonderes Gepräge. Diese farbenreiche Gesamtbesch-reibung einer fernen Welt ist etwas ganz anderes als die Bilder, die der Fremde von seinen See- und Landreisen in anderen Weltgegenden mitbringt.

Unter der Lupe der Vergangenheit wird das in naturwissenschaftlichen Dingen unbewanderte Denken in die Entwicklungstheorien und genetischen Umwälzungen eingeweiht.

Sich der Notwendigkeit bewusst, eine so äusserst originelle Umweltform zu bewahren und ein für die Menschheit wertvolles Erbe von universalem wissenschaftlichen Interesse zu verteidigen, hat die ekuadorianische Regierung eine kühne und gerecht-fertigte Initiative ergriffen.

Die UNESCO hat ihrerseits, im Rahmen des Entwicklungsprogramms der Vereinten Nationen, einen äusserst wichtigen Plan aufgestellt. Dieser Plan, der den Schutz der reichhaltigen biologischen Potenz der Galapagos vorsieht, ist ein wissenschaftlicher Rahmen, der Information, Forschung und Bewahrung der natürlichen Reichtümer umfasst.

R. BOTTO
Gesandter, ständiger Delegierter
des iberoamerikanischen Bureaus für
Erziehungswesen der UNESCO.

A ras de las ondas marinas del Océano Pacífico, las Islas Galápagos perfilan sus costas bajas de lavas negras. De tanto en tanto las playas de arena de un blanco resplandeciente o manglares de un verde ácido alternan con los oscuros peñascos basálticos. Bajo el sol incandescente del Ecuador, los conos despedazados de los volcanes se envuelven de una bruma dorada. Las llanuras costeras no son otra cosa que corrientes de lava cortada por grietas profundas, caos de rocas, amontonamiento de escorias y cenizas.

Una muy flaca vegetación de un gris a veces verdoso ha colonizado estas tierras calcinadas. Los matorrales, bajos como los cactus que los dominan, están erizados de espinas.

Los Jardines del Infierno, la expresión es de Carlos Darwin, son de una extraña belleza, mineral, solo comparable a la estatuaria antigua.

Pero ninguna isla es parecida a la otra. Los volcanes que las coronan y las brumas que las envuelven evocan en su torno fieras enfrentadas o gigantes dormidos. El sol en su curso diurno hace cambiar los matices de las lavas y de las cenizas de color tinta y de óxidos, dignos de la paleta de un pintor flamenco.

El océano azul turquesa, azul záfiro y amatista, de miles de azules, nunca presenta el mismo azul que las engarza.

Situado a 525 millas marinas, más precisamente a 902 kms de las costas del Ecuador, el Archipiélago de las Galápagos, oficialmente llamado Archipiélago Colón desde 1892, está repartido a uno y otro lado del Ecuador. Las islas más septentrionales alcanzan 1 grado 40 minutos de latitud Norte, y las más meridionales, 1 grado 35 minutos de latitud Sur.

El Archipiélago, cuya superficie total es ligeramente superior a 8000 kms^2, se compone de 19 islas, 42 islotes y 26 peñascos. Cinco islas tienen una superficie que excede los 500 kms^2. Estas son las islas Isabela, Santa Cruz, Fernandina, San Salvador y San Cristóbal. Las otras catorce son notoriamente más pequeñas y se denominan así: Santa María, Marchena, Pinta, Baltra, Santa Fe, Pinzón, Genovesa, Rábida, Seymour, Wolf, Tortuga, Bartolomé, Darwin y Española.

La distancia que separa estas islas entre ellas puede ser muy grande. Hay más de 400 kms entre la isla Darwin al Norte y la isla Española al Sur. De Este a Oeste, las distancias son menores, y la San Cristóbal no está más alejada de la Fernandina que de unos 250 kms.

Desde el fin del siglo XVI, las islas fueron mencionadas en los mapas. Sobre el mapa de Ambrose Cowley publicado en 1684, y sobre las cartas del Capitán Colnett que datan de los años 1793 y 1794, los nombres dados a estas islas lo son en honor de los Reyes de Inglaterra, de sus almirantes y oficiales, de aristócratas y bucaneros. En 1892, el gobierno ecuatoriano dá nuevos nombres de origen español a estas islas. De ello proviene la existencia de dos nombres para cada isla, uno de origen inglés, el más antiguo, y el más utilizado generalmente en las publicaciones científicas, y el otro de origen español responde al uso oficial. Así la isla Española es también llamada Hood, en honor del Almirante Vizconde Samuel Hood. La isla Isabela está dedicada a la vez a la Reina Isabel de España y al Duque de Albemarle.

HISTORIA

La leyenda cuenta que el Rey de los Incas, Tupac Yupanqui, al haber oído comentarios sobre aquel lejano Archipiélago se aventuró en el vasto océano y descubrió dos islas, a las cuales les dio el nombre de Nina-Chumbi, isla de fuego y Hahua- Chumbi, isla lejana.

Pero la historia atestigua que las islas Galápagos fueron descubiertas en la primavera del año 1535, por el obispo de Panamá, Tomás de Berlanga quien viajaba al Perú, enviado por el Emperador Carlos V, para poner fin a la discordia que oponía a los conquistadores Francisco Pizarro y Diego de Almagro. Silenciaron los vientos, y el navío fue arrastrado hacia alta mar por la corriente de Humboldt. Después de varios días de ansiedad, los infortunados navegantes divisaron tierras en el horizonte, donde pudieron desembarcar, escapando así a la muerte.

El obispo de Panamá envió al Emperador una interesante descripción de las islas que acababa de descubrir: tortugas gigantes, iguanas y aves marinas las poblaban.

Luego el Archipiélago se volvió la cueva de los corsarios y piratas quienen utilizaron las islas como refugio y base de operación para los ataques que lanzaban contra los barcos y los puertos españoles del continente. La historia guardó los nombres de los más famosos. Entre ellos, Dampier, Cook, Cowley, Wafer, Knight y Davis.

Al principio del siglo XIX los balleneros sucedieron a los bucaneros. En esta época la fauna del Archipiélago fue sometida a saqueos organizados y se sacrificaron miles de tortugas y de lobos.

El General José de Villamil exploró el Archipiélago y tuvo la idea de colonizarlo. Dio a conocer su proyecto al Presidente de la República del Ecuador, General Juan José Flores, quien inmediatamente envió una expedición bajo el comando del Coronel Ignacio Fernández. Tomaron solemnemente posesión de las islas las cuales pasaron bajo la soberanía del Ecuador el 12 de Febrero de 1832. Villamil reunió a un grupo de condenados a muerte por motivos políticos, al cual se agregaron algunos artesanos y campesinos, y fundó la primera colonia en la isla de Floreana. Fue cuando los colonos introdujeron el ganado y las aves de corral, que luego fueron tan peligrosos para la flora y la fauna de la isla. Los colonos no tenían mayor entusiasmo para el trabajo y su moralidad no era ejemplar, dando lugar a numerosas vicisitudes. Estallaron dos revueltas en las que murieron dos gobernadores y la mayoría de los colonos se trasladaron a la isla de San Cristóbal.

En 1870, José Valdizan obtuvo una concesión para coleccionar líquenes del género Orchilla utilizados como colorantes por los tintoreros. En 1888, Manuel Cobos creó una plantación de caña de azúcar, pero tanto el uno como el otro fueron muertos por sus esclavos.

En 1893, Antonio Gil fundó los pueblos de Villamil y Santo Tomás en la isla de Isabela. En 1902, el gobierno ecuatoriano prohibió la deportación de condenados hacia las islas y en 1923 promulgó decretos tendientes a facilitar su colonización.

Noruegos se establecieron en las montañas de la isla Santa Cruz en 1926.

Durante la segunda guerra mundial, el gobierno ecuatoriano autorizó a los Estados Unidos a construir una base militar en la isla de Baltra, con el fin de vigilar los alrededores del Canal de Panamá. Hoy en día, se sigue utilizando el aeródromo pero la fauna desapareció totalmente.

En la actualidad cinco islas están habitadas: San Cristóbal, donde está situada la capital; Puerto Baquerizo Moreno, que cuenta con menos de 2000 habitantes. En Santa Cruz un poco más de 1000 personas residen en Puerto Ayora así como en los pueblos de Bellavista y de Santa Rosa, ubicados en las faldas de la montaña. A ello se agregan unas 500 personas, repartidas en las islas Isabela, Floreana y Baltra donde se encuentra el aeropuerto.

La población total del archipiélago se aproxima a 3500 personas, que viven en su mayoría, de la pesca, del turismo; y del cultivo en la altura, especialmente en Santa Cruz. Para no perjudicar a la flora y a la fauna del parque nacional, el número de turistas ha sido limitado a mil personas y se prohibió la inmigración de los colonos. Como en el pasado, la falta de agua limitará el aumento de la población.

LOS ORIGENES

El origen oceánico del Archipiélago no es actualmente objeto de controversia. Está, pues, claramente establecido que, en el transcurso de los tiempos, la formación de dichas islas se debe a la acumulación sucesiva de lavas originadas por la erupción de volcanes submarinos, particularmente numerosos en esta región del globo, considerada, con otras veinte, tales como las islas Hawai o Islandia, lugares del mundo donde es constante la actividad volcánica.

En el curso de las edades, los volcanes surgieron del océano formando el Archipiélago de aspecto lunar que hoy conocemos. Unos emergen su cráter solitario por encima de las olas, mientras otros más cercanos y activos, se unieron para formar islas de contornos diversos, tales como la isla Isabela constituida por la unión de seis volcanes, Cerro Azul, Sierra Negra, Alcado, Darwin, Wolf y Ecuador.

En el pasado esta teoría fue defendida por Darwin, Wolf y Agassiz y sólo cito a los principales partidarios del origen oceánico del archipiélago. Sin embargo, al adoptar esta tesis, debemos admitir que los elementos que originaron la flora, y más tarde la fauna de las Galápagos, fueron transportados en distancias considerables como las que separan el archipiélago del continente, por los vientos, corrientes marinas y aves migratorias. Ello puede ser perfectamente factible en lo que concierne a las plantas cuyas semillas finas y livianas pudieron ser llevadas por el viento.

También es verosímil para semillas más voluminosas, susceptibles de flotar y resistir durante una estada prolongada en agua de mar, dando lugar a los manglares que invadieron las costas bajas de los mares cálidos.

El mismo fenómeno puede producirse con las múltiples semillas que se introducen en las plumas de los pájaros o se pegan a sus patas, o bien pueden ser ingeridas por ellos sin que por lo tanto pierdan su poder germinatorio. Es el caso, entre otros, del tomate de las Galápagos cuyas semillas, de capa espesa, germinan más fácilmente, cuando han sido previamente digeridas por un animal.

El inventario de la flora de las Galápagos confirma esta tesis, pues su estudio permitió comprobar que las plantas que la componen provienen en su mayoría de semillas finas, tales como las Compuestas, particularmente bien representadas en las Galápagos, o de helechos cuyas esporas pueden ser transportadas velozmente por los vientos. A la inversa, las plantas de semillas gruesas están en su mayoría ausentes de estas islas.

Es posible imaginar aún que animales del tamaño de una tortuga o de una iguana hayan realizado la travesía en balsas naturales formadas por troncos y bejucos entretejidos, llevados a los ríos por lluvias diluvianas que con frecuencia se producen en estas regiones ecuatoriales. Los reptiles están acostumbrados a dietas prolongadas, lo cual no acontece con los mamíferos y ello pudiera en parte explicar la relativa escasez de estos últimos en las Galápagos.

Los navegantes muchas veces divisaron en las playas de las islas, los troncos de árboles abandonados por el mar, cuya esencia o textura demostró que sólo podían provenir del continente. Bajo estas latitudes, la corriente de Humboldt se desplaza de Esta hacia el Oeste empleando sólo quince días para acarrear despojos flotantes del continente hasta el Archipiélago.

Sin embargo, se hace difícil entender por qué aquellos animales y aquellas plantas que franquearon sin tropiezo la distancia considerable que separa el continente del Archipiélago, no pudieron luego propagarse en todas las islas. Al respecto, el caso de las tortugas es particularmente singular y revelador. Si se admite que los quelonios vinieron del continente, no se concibe por qué no pudieron luego atravesar los brazos de mar que separan las islas unas de otras, y que, al contrario en el transcurso del tiempo hayan evolucionado aisladamente, originando múltiples razas distintas, tan diferenciadas como para que no resulte actualmente ninguna descendencia viable.

Es sin duda la razón por la cual Georg Baur, Gunther y Van Denburg imaginaron una conexión entre el continente y el Archipiélago en una época que situaron en el Mioceno. Dicha teoría se apoyaba en la presencia de dos cordilleras sub-marinas uniendo el continente a la plataforma de las Galápagos. Una de ellas, orientada hacia el Noreste, unía el archipiélago con América Central, jalonada actualmente por las islas Cocos, y la otra, designada bajo el vocablo de cordillera sub-marina Carnegie, que une las islas con el Ecuador, siguiendo un eje Oeste-Este.

Esta tesis permitía pensar que el Archipiélago había sido poblado por vía terrestre, a lo largo de los dos istmos, produciéndose una evolución ulterior de poblaciones vegetales y animales en múltiples especies distintas durante la época del hundimiento de aquellas vías y del aislamiento por el mar de las distintas islas del archipiélago.

Sin embargo, los estudios geológicos realizados hasta hoy invalidaron esta última hipótesis. Tanto las islas como la plataforma sobre la cual reposan, están constituidas por rocas volcánicas de edad relativamente reciente. Los basaltos de la plataforma sumergidos datan a lo sumo de un millón y medio de años, y los volcanes emergidos aparecieron con posterioridad.

El proceso sigue su curso y frecuentes son las erupciones. El volcán que compone la isla Fernandina ya ha entrado en erupción más de doce veces desde que los balleneros cruzan estos parajes. Fue particularmente violenta la erupción de 1825, según los comentarios del Capitán Benjamín Morrel, quien había anclado su velero a pocas millas de la isla: un torrente de lava proveniente del volcán en actividad se extendió con ruido estrepitoso en el mar cuya temperatura alcanzó rapidamente 65°. En 1958, el lago, que ocupaba el centro del cráter, desapareció. En los años 1961 y 1968 se produjeron nuevas erupciones con importantes corrientes de lava. En la isla Isabela, el Cerro Azul entró en erupción en los años 1947 y 1959; el Alcedo en 1963. Sierra Negra, cuyo cráter es uno de los más grandes del mundo, puesto que alcanza 11 kms en su parte más ancha, conoció violentas erupciones en los años 1911, 1948, 1953 y 1954, y de nuevo en 1963, por no citar sino las más recientes.

Según el vulcanólogo Howel Williams, la parte occidental del Archipiélago sería el campo volcánico más importante y activo del mundo.

EL CLIMA

El clima de las Galápagos es bastante sorprendente para el viajero desprevenido, pues en principio las islas, ubicadas bajo el Ecuador, deberían gozar de un clima caliente y húmedo, y no es así. La temperatura es moderadamente elevada; escasas son las precipitaciones, al menos en las regiones costeñas. La responsabilidad de aquel clima inusitado bajo tales latitudes se debe a la corriente de Humboldt, que costea Chile y Perú y deriva luego hacia el Oeste para bañar, con sus aguas frías, las Galápagos.

Desde el mes de junio hasta el mes de noviembre, cuando soplan los vientos provenientes del Sur-Este, su influencia se vuelve preponderante. La temperatura del mar es de unos 22 grados. Lluvias finas, que los autóctonos llaman "Garúas", caen durante la mayor parte del día. Una brisa sopla constantemente. Las islas se pierden en una niebla liviana que las opaca, lo cual hizo que los navegantes españoles les dieran el nombre de islas "encantadas"

Cuando se debilitan los vientos del Sur-Este, la influencia de la corriente de Humboldt se encuentra balanceada por la corriente cálida llamada "El niño" porque precisamente el cambio se produce cerca de Navidad.

Desde diciembre hasta mayo, durante este "invierno" la temperatura del mar sube nuevamente hasta unos 25 grados; el sol brilla con hermoso resplandor y sólo caen chaparrones esporádicos pero sumamente violentos.

Estas aguas frías acarreadas por la corriente de Humboldt son particularmente oxigenadas, por lo tanto ricas en plancton, lo cual da lugar a un medio eminentemente favorable para el desarrollo de una abundante vida marina.

Los cetáceos, delfines y ballenas, los peces y crustáceos abundan en estas aguas, y con ellos los animales de rapiña: otarias y aves de mar.

Así como la corriente de Humboldt es responsable de la aridez que se registra en el Archipiélago, aridez atemperada por la altura en las islas más grandes, también es causante de la extrema sequía que predomina en las costas de Chile y del Perú. Estas aguas frías limitaron la formación de arrecifes coralinos y de manglares que sólo pudieron desarrollarse en los lugares de las costas resguardadas.

Au ras des flots céruléens de l'océan Pacifique, les îles Galapagos profilent leurs côtes basses de laves noires. De loin en loin, aux sombres basaltes succèdent des plages de sable d'un blanc éblouissant ou des mangroves d'un vert acide. Sous le soleil incandescent de l'Equateur, les cônes déchiquetés des volcans se voilent d'une brume dorée.

Les plaines côtières ne sont que coulées de laves, entaillées de profondes crevasses, chaos de rocs, amoncellements de scories et de cendres.

Une très maigre végétation, d'un gris parfois verdâtre, a colonisé ces terres calcinées. Les buissons bas, comme les cactus qui les dominent, sont hérissés d'épines.

Les jardins de l'Enfer, l'expression est de Charles Darwin, sont d'une étrange beauté, minérale, qui ne se peut comparer qu'à celle de la statuaire antique.

Mais aucune île n'est semblable à une autre. Les volcans qui les couronnent et les brumes qui les enveloppent évoquent tout à tour des fauves affrontés ou des géants endormis. Le soleil, dans sa course diurne, fait évoluer les teintes des laves et des cendres aux couleurs d'encre et d'oxydes, dignes de la palette d'un peintre flamand. Et l'océan qui les enchâsse, bleu turquoise, bleu de saphir et d'améthyste, de mille bleus, n'est jamais tout à fait du même bleu.

Situé à 525 milles marins, soit très précisément à 972 kilomètres des côtes de l'Equateur, l'archipel des Galapagos, officiellement appelé archipel Colon depuis 1892, est réparti de part et d'autre de l'Equateur. Les îles les plus septentrionales atteignent 1°40' de latitude Nord, les plus méridionales 1°36' de latitude Sud.

L'archipel dont la surface totale est légèrement supérieure à 8.000 km², se compose de 19 îles, 42 îlots et 26 rochers. Cinq îles ont une surface qui excède 500 km². Ce sont les îles d'Isabela, Santa Cruz, Fernandina, San Salvador et San Cristobal, les quatorze autres sont nettement plus petites et sont ainsi dénommées : Santa Maria, Marchena, Española, Pinta, Baltra, Santa Fe, Pinzon, Genovesa, Rabida, Seymour, Wolf, Tortuga, Bartolome et Darwin.

La distance qui sépare ces îles entre elles peut être assez grande. Il y a plus de 400 kilomètres entre l'île de Darwin au Nord et celle d'Española au Sud. D'Est en Ouest les distances sont moindres et San Cristobal n'est éloignée de Fernandina que de 250 kilomètres environ.

Dès la fin du XVIème siècle, les îles furent mentionnées sur les cartes. Sur la carte d'Ambrose Cowley, publiée en 1684 et sur celle du Capitaine Colnett, qui date des années 1793 et 1794, des noms sont attribués à ces îles, en l'honneur des rois d'Angleterre, de leurs amiraux et officiers, des aristocrates et boucaniers. En 1892, le gouvernement équatorien donne de nouveaux noms, d'origine espagnole, à ces îles. D'où l'existence d'au moins deux noms pour chaque île; l'un, d'origine anglaise, le plus ancien, est le plus généralement utilisé dans les publications scientifiques, l'autre, d'origine espagnole, est d'un emploi officiel. Ainsi l'île d'Española est aussi appelée Hood, en l'honneur de l'Amiral Vicomte Samuel Hood. L'île d'Isabela est dédiée à la fois à la Reine Isabela d'Espagne et au Duc d'Albemarle.

L'HISTOIRE

La légende raconte que le roi des Incas, Tupac Yupanqui, ayant entendu parler de ce lointain archipel, se serait aventuré sur le vaste océan et aurait découvert deux îles qu'il aurait nommées Nina-Chumbi, l'île du feu, et Hahua-Chumbi, l'île lointaine.

Mais l'histoire atteste que les îles Galapagos furent découvertes, au printemps de l'année 1535, par l'évêque de Panama, Tomás de Berlanga, qui allait au Pérou pour mettre fin, au nom de l'empereur Charles-Quint, à la querelle qui opposait les deux conquistadors, Francisco Pizarro et Diego de Almagro. Les vents étant tombés, le navire fut entraîné vers le large par le courant de Humboldt. Après des jours d'anxiété, les infortunés navigateurs aperçurent des terres, à l'horizon, où ils purent débarquer, échappant ainsi à la mort.

L'évêque de Panama écrivit à l'empereur une intéressante description des îles, qu'il venait de découvrir, des tortues géantes, des iguanes et des oiseaux marins, qui les peuplaient.

Quelques années plus tard, pour échapper à la vindicte de Francisco Pizarro, Diego de Rivadeneira se réfugia dans les îles où il remarqua à son tour la taille gigantesque des tortues.

Par la suite l'archipel devint un repaire pour les corsaires et les pirates qui utilisèrent les îles comme un refuge et une base d'opération, lors des attaques menées contre les vaisseaux et les ports espagnols du continent. L'histoire a conservé les noms des plus fameux d'entre eux : Dampier, Cook, Cowley, Wafer, Knight et Davis.

Au début du XIXème siècle les baleiniers succédèrent aux boucaniers. A cette époque la faune de l'archipel fut soumise à un pillage en règle et des milliers de tortues et d'otaries à fourrure furent massacrées.

Ayant exploré l'archipel, le Général José de Villamil eut l'idée de le coloniser. Ayant fait part de ce projet au Président de la République de l'Equateur, le Général Juan José Flores, celui-ci dépêcha une expédition commandée par le Colonel Ignacio Hernandez, qui prit solennellement possession des îles qui passèrent ainsi sous la souveraineté de l'Equateur, le 12 Février 1832. Villamil, ayant réuni un groupe de condamnés à mort pour des motifs politiques, auquel se joignirent quelques artisans et cultivateurs, fonda une première colonie sur l'île de Floreana. Les colons introduisirent le bétail et les animaux de basse-cour qui devaient se révéler si néfastes par la suite pour la flore et la faune de l'île. Mais les colons manquaient d'enthousiasme au travail et leur moralité n'était pas exemplaire, aussi la colonie connut-elle de nombreuses vicissitudes. Des révoltes éclatèrent où deux gouverneurs trouvèrent la mort et la plupart des colons allèrent s'installer sur l'île de San Cristobal.

En 1870, José Valdizan obtint une concession pour collecter des lichens du genre Orchilla, utilisés comme colorant par les teinturiers. En 1888, Manuel Cobos créa une plantation de canne à sucre, mais l'un et l'autre furent massacrés par leurs esclaves.

En 1893, Don Antonio Gil fonda les deux villages de Villamil et de Santo Tomas sur l'Ile d'Isabela.

En 1902, le gouvernement équatorien interdit la déportation des condamnés dans les îles et en 1923 il promulgua des décrets tendant à faciliter leur colonisation.

Des Norvégiens s'établirent dans les montagnes de l'île de Santa Cruz en 1926.

Pendant la deuxième guerre mondiale, le gouvernement équatorien autorisa les Etats-Unis à construire une base militaire sur l'île de Baltra, afin de surveiller les approches du canal de Panama. L'aérodrome est encore utilisé de nos jours mais la faune a complètement disparu.

Actuellement cinq îles sont habitées : San Cristobal, où est située la capitale Puerto Baquerizo Moreno, compte moins de 2.000 habitants. A Santa Cruz, un peu plus de 1.000 personnes résident à Puerto Ayora et dans les villages de Bellavista et de Santa Rosa, situés sur les flancs de la montagne. A cela il faut ajouter 500 personnes environ, réparties sur les îles d'Isabela, Floreana et Baltra où est situé l'aéroport.

La population totale de l'archipel doit donc se situer aux environs de 3.500 personnes qui vivent, pour la plupart, de la pêche et du tourisme sur la côte et de la culture et de l'élevage en altitude, notamment à Santa Cruz. Afin de ne pas nuire à la flore et à la faune du parc national, le nombre des touristes ne doit pas excéder mille à la fois et l'immigration des colons est interdite. Comme par le passé, le manque d'eau douce sera un facteur qui limitera l'augmentation de la population.

LES ORIGINES

L'origine océanique de l'archipel n'est plus actuellement contestée. Il est maintenant bien établi que ces îles se formèrent au cours des temps par l'accumulation successive des laves dues aux éruptions des volcans sous-marins particulièrement nombreux en cette partie du globe, considérée, avec une vingtaine d'autres régions, telles que les îles Hawaï ou l'Islande, comme étant les points chauds du monde, où l'activité volcanique est constante.

Au cours des âges ces volcans émergèrent de l'océan pour former cet archipel à l'aspect lunaire que nous connaissons actuellement. Les uns dressent au-dessus des vagues leur cratère solitaire, d'autres, plus proches ou plus actifs, se réunirent entre eux pour former des îles aux contours divers, telle l'île d'Isabela formée par la jonction de six volcans, Cerro Azul, Sierra Negra, Alcedo, Darwin, Wolf et Ecuador.

Cette théorie fut défendue dans le passé par Darwin, Wolf et Agassiz, pour ne citer que les partisans les plus en vue de l'origine océanique de l'archipel. Cependant si l'on adopte cette thèse, il est nécessaire d'admettre que les éléments à l'origine de la flore et par la suite de la faune des Galapagos, n'ont pu être véhiculés, sur les distances considérables qui séparent l'archipel du continent, que, par les vents, les courants marins et les oiseaux migrateurs. Cela est parfaitement admissible en ce qui concerne les plantes ayant des graines fines et légères, facilement entraînées par le vent.

C'est vraisemblable aussi pour les graines plus volumineuses susceptibles de flotter et de résister à un séjour prolongé dans l'eau de mer, comme celles des palétuviers qui ont colonisé toutes les côtes basses des mers chaudes.

Il en va de même pour beaucoup de graines pouvant s'accrocher aux plumes ou coller aux pattes des oiseaux, ou, plus simplement encore, pouvant être ingérées par ceux-ci sans pour autant perdre leur pouvoir germinatif. C'est le cas notamment de la tomate des Galapagos dont les graines, pourvues d'une enveloppe épaisse, germent plus facilement si elles ont été préalablement digérées par un animal.

L'inventaire de la flore des Galapagos confirme cette thèse car son étude a permis de constater que les plantes qu'elle comprend ont pour la plupart des graines fines, telles les Composées particulièrement bien représentées aux Galapagos, ou les fougères dont les spores sont plus aisément encore transportées par les vents. A titre de corollaire les plantes ayant de grosses graines sont presque totalement absentes de ces îles.

Il est encore aisé d'imaginer que des animaux de la taille d'une tortue ou d'un iguane aient fait la traversée sur les radeaux naturels que constituent les amas de troncs et de lianes entrelacés charriés par les fleuves après les pluies diluviennes que connaissent ces régions situées sous l'Equateur. D'autant que ces reptiles peuvent supporter une diète prolongée, à l'inverse des mammifères, ce qui pourrait expliquer en partie la rareté relative de ces derniers aux Galapagos.

A maintes reprises des navigateurs ont pu voir des troncs d'arbre rejetés par les flots sur les grèves des îles, qui, de par leur essence, ne pouvaient provenir que du continent. En outre, à cette latitude, le courant de Humboldt se déplace d'est en ouest et ne met pas plus de quinze jours pour charrier des débris flottants du continent vers l'archipel.

Cependant il devient plus difficile de comprendre pourquoi ces animaux ou ces plantes qui ont franchi sans encombre la distance considérable qui sépare le continent de l'archipel, n'ont pu par la suite se propager dans toutes les îles. Le cas des tortues terrestres est, à cet égard, particulièrement révélateur. S'il est admis que ces chéloniens sont venus du continent, on ne conçoit pas pourquoi ceux-ci n'ont pas ultérieurement franchi les bras de mer qui séparaient les îles les unes des autres mais, qu'au contraire, ils aient évolué isolément, au cours des temps, en de multiples races distinctes, assez différenciées, pour qu'actuellement les croisements entre celles-ci ne donnent pas de descendance viable.

C'est sans doute une raison pour laquelle Georg Baur, Gunther et Van Denburgh ont imaginé une connexion entre le continent et l'archipel à une époque qu'ils situèrent au Miocène. Cette théorie s'étayait sur la présence de deux cordillères sous-marines joignant le continent à la plate-forme des Galapagos. L'une, orientée vers le Nord-Est et reliant l'archipel à l'Amérique Centrale, jalonnée actuellement par les îles Cocos, l'autre, désignée sous les termes de cordillère sous-marine Carnegie, joignant les îles à l'Equateur selon un axe Ouest-Est.

Cette thèse permettait d'imaginer aisément le peuplement de l'archipel par voie terrestre le long de ces deux isthmes, et l'évolution ultérieure des populations végétales et animales en de multiples espèces distinctes, lors de l'effondrement de ces voies et l'isolement par la mer des différentes îles de l'archipel.

Cependant les études géologiques menées depuis lors ont infirmé cette dernière hypothèse. Les îles et la plate-forme sur laquelle elles reposent sont constituées uniquement de roches volcaniques d'un âge relativement récent. Les basaltes de la plate-forme immergée datent au maximum d'un million et demi d'années, les volcans émergés de beaucoup moins.

Le processus se poursuit actuellement et les éruptions sont fréquentes. Le volcan qui constitue à lui seul l'île de Fernandina est entré en éruption une douzaine de fois depuis que les baleiniers croisent dans les parages. L'éruption de 1825 fut particulièrement violente aux dires du capitaine Benjamin Morrel qui avait ancré son voilier à quelques milles de l'île : du cratère éventré un torrent de lave en fusion se déversa en grondant dans la mer dont la température atteignit rapidement 65°. En 1958, le lac, qui occupait le centre du cratère, disparut. En 1961 et 1968 eurent lieu de nouvelles éruptions avec d'importantes coulées de lave. Sur l'île d'Isabela, le Cerro Azul est entré en éruption en 1947 et 1959, l'Alcedo en 1963. Sierra Negra, dont le cratère est un des plus grands du monde, puisqu'il atteint 11 kilomètres dans sa plus grande largeur, connut de violentes éruptions en 1911, 1948, 1953 et 1954, et à nouveau en 1963, pour ne citer que les plus récentes.

D'après le vulcanologue Howel Williams, la partie occidentale de l'archipel serait le champ volcanique le plus important et le plus actif du monde.

LE CLIMAT

Le climat des îles Galapagos est assez surprenant pour le voyageur non averti, car ces îles situées sous l'Equateur devraient jouir d'un climat chaud et humide, mais il n'en est rien. La température n'y est que modérément élevée et les précipitations y sont rares, tout au moins dans les régions côtières. La responsabilité de ce climat inhabituel sous de telles latitudes incombe au courant de Humboldt, qui, longeant les côtes du Chili et du Pérou, oblique vers l'ouest pour baigner, de ses eaux froides, les Galapagos.

Du mois de Juin au mois de Novembre, lorsque soufflent les vents du sud-est, son influence est prépondérante. La température de la mer est de l'ordre de 22°. Des pluies fines, que les autochtones appellent "garuas", tombent la plus grande partie du jour. Un vent frais souffle constamment. Les îles sont noyées dans un léger brouillard, qui les a rendues si difficiles à apercevoir des navigateurs espagnols, ce pourquoi ils les avaient surnommées les îles "encantadas".

Lorsque faiblissent les vents du sud-est, l'influence du courant de Humboldt est contrebalancée par celle du courant chaud appelé "El Niño" parce que précisément ce changement se produit aux approches de Noël.

De Décembre à Mai, pendant cet "hiver", la température de la mer remonte aux environs de 25°, le soleil brille d'un vif éclat, il ne tombe que quelques averses sporadiques mais violentes.

Ces eaux froides, charriées par le courant de Humboldt, sont particulièrement oxygénées, donc riches en plancton, ce qui crée un milieu éminemment favorable au développement d'une abondante vie marine.

Les cétacés, dauphins et baleines, les poissons et les crustacés pullulent dans ces eaux, et avec eux leurs prédateurs : les oiseaux de mer et les otaries.

De même le courant de Humboldt est responsable de l'aridité de l'archipel, aridité tempérée par l'altitude, sur les îles les plus grandes, comme il l'est de l'extrême sécheresse qui sévit sur les côtes du Chili et du Pérou. Ses eaux froides ont limité la formation des récifs coralliens et celle des mangroves qui n'ont pu se développer que dans les endroits les plus abrités des côtes.

Rising from the azure waves of the Pacific Ocean, the Galapagos Islands present their low-lying coasts of black lava. Now and then the sombre basaltic rocks are succeeded by sandy beaches of a dazzling whiteness or mangrove swamps of an acid green. Beneath the incandescent sun of the equator, the torn craters of the volcanoes are veiled in a golden mist.

The coastal plains are nothing more than rivers of lava, through which run deep crevices, a chaos of rocks and heaps of slag and ashes.

Only a very meagre vegetation, greyish and sometimes greenish in colour, has found a home on this calcinated earth. The low bushes and the cactuses which dominate them are covered with prickles.

The "gardens of Hell", as Charles Darwin called them, have a strange, "mineral" beauty which can only be compared with that of ancient statuary.

But none of the islands resembles the others. The volcanoes which crown them and the mists which envelop them give them the appearance either of startled wild animals or of sleeping giants. The sun in its daily course changes the colour of the lava and of the inky-coloured ashes, worthy of the palette of a Flemish painter. And the blue of the ocean in which they are set - a turquoise blue, a saphire and amethyst blue, a thousand blues - is never quite the same blue.

The Galapagos Archipelago, located at a distance of 525 sea miles - or 972 kilometres - from the Ecuador coast, has been officially known as Colon since 1892 and is distributed to the North and South of the equator. The most northerly islands are as far as 1° 40' North and the most southerly 1° 36' South.

The Archipelago, the total area of which is slightly more than 8,000 square kilometres, consists of 19 islands, 42 islets and 26 "rocks". Five of the islands have an area of over 500 square kilometres. These are Isabela, Santa Cruz, Fernandina, San Salvador and San Cristobal; the fourteen others are much smaller and are called: Santa Maria, Marchena, Española, Pinta, Baltra, Santa Fe, Pinzon, Genovesa, Rabida, Seymour, Wolf, Tortuga, Bartolome and Darwin.

The distances between islands can be considerable. There is a distance of over 400 kilometres between Darwin Island in the North and Española in the South. Distances from East to West are less and Cristobal is only about 250 kilometres from Fernandina.

The islands began to be shown on charts as from the end of the sixteenth century. On Ambrose Cowley's map, published in 1684 and that of Captain Colnett, which dates from 1793 and 1794, names are given to the islands in the honour of kings of England, their admirals and other officers, aristocrats and pirates. In 1892, the Ecuador Government rebaptised them with names of Spanish origin. The result is that each island has at least two names - the older one of English origin, which is that most generally used in scientific publications, and the Spanish one that is used for official documents. Thus Española is also called Hood, in honour of Admiral the Viscount Samuel Hood, while Isabela is dedicated not only to the Queen of Spain but also to the Duke of Albemarle.

HISTORY

Legend tells that Tupac Yupanqui, the King of the Incas, having heard of this distant archipelago, ventured out into the vast ocean and discovered two islands which he named Nina-Chumbi, the island of fire, and Hahua-Chumbi, the distant island.

But history asserts that the Galapagos Islands were discovered in the Spring of 1535 by Tomas de Berlanga, Bishop of Panama, who was proceeding to Peru on behalf of the Emperor Charles V to put an end to the quarrel between the two conquistadores - Francisco Pizarro and Diego de Almagro. The ship was becalmed and drifted out to sea under the influence of the Humboldt current. After many anxious days, the unfortunate sailors sighted land on the horizon and managed to land there, thus saving their lives.

The Bishop of Panama addressed interesting descriptions of the islands he had discovered, and of the giant tortoises, iguanas and sea birds which lived there, to the Emperor.

A few years later, Diego de Rivadeneira, fleeing the vengeance of Francisco Pizarro, took refuge in the islands, where he in turn noted the enormous size of the tortoises.

Subsequently, the Archipelago became a retreat for pirates and filibusters who used the islands as a base for operations when they mounted attacks against Spanish ships and mainland ports. The names of the most famous of these pirates are recorded in history - Dampier, Cook, Cowley, Wafer, Knight and Davis.

At the beginning of the nineteenth century the pirates were succeeded by whalers. At that period the fauna of the islands was subjected to systematic pillaging, and thousands of tortoises and fur seals were massacred.

General José de Villamil explored the archipelago and decided to colonise it. He informed General Juan José Flores, President of the Ecuador Republic, of this project, and the latter sent an expedition under the command of Colonel Ignacio Hernandez, who solemnly took possession of the islands on behalf of Ecuador on 12 February 1832. Villamil assembled a group of political prisoners who had been condemned to death, together with a few artisans and farmers, and with them founded a first colony on the Island of Floreana. The colonists introduced cattle and farmyard animals, which were subsequently to have such an adverse influence on the ecology of the island. However, the colonists were not very keen on work and their behaviour was less than exemplary, with the result that the colony had many ups and downs. Revolts broke out in the course of which two governors were killed, and the majority of the colonists went off to settle on the Island of San Cristobal.

In 1870, José Valdizan obtained a concession for the collection of lichens of the Orchilla genus, which were used as dyes for cloth. In 1888, Manuel Cobos started a sugar cane plantation. However, both of these pioneers were killed by their slaves.

In 1893 Don Antonio Gil founded the two villages of Villamil and Santa Tomas on the Island of Isabela.

In 1902, the Ecuador Government prohibited the deportation of convicts to the islands, and in 1923 promulgated laws designed to facilitate colonization.

Norwegians settled in the mountains of the Island of Santa Cruz in 1926.

During the Second World War, the Ecuador Government authorized the United States to build a military base on the Island of Batra so as to guard the approaches of the Panama Canal. The aerodrome is still used today, but the fauna has completely disappeared.

Five of the islands are inhabited today: San Cristobal, where the capital Puerto Baquerizo Moreno is situated, has less than 2,000 inhabitants. On Santa Cruz, a little more than 1,000 inhabitants live at Puerto Ayora and the villages of Bellavista and Santa Rosa, located on the slopes of the mountain. To these must be added about 500 people distributed among the islands of Isabela, Floreana and Baltra, where the airport is situated.

The total population of the Archipelago, therefore, must be about 3,500, the majority of whom live on fishery and the tourist business in the coastal region and on farming and cattle-raising in the hills, particularly on Santa Cruz. In order to avoid damage to the fauna of the country's Nature Reserve, immigration is forbidden and the number of tourists must not exceed one thousand at any one time. As in the past, the chief factor limiting any increase in population is the lack of fresh water.

ORIGINS

The oceanic origin of the Archipelago is now no longer contested. It is firmly established that these islands were gradually formed by successive deposits of lava from the eruption of the under-water volcanoes which were particularly numerous in this part of the world - one of a score of regions, including Hawai and Iceland, where there is constant volcanic activity.

With the passage of time the islands emerged from the ocean to form this Archipelago of moonscapes which we know today. Some of them rise with their single craters above the sea, while others, the nearer and more active ones, have joined up to form islands of various shapes, such as that of Isabela, which is formed by the fusion of six volcanoes - Cerro Azul, Sierra Negra, Alcedo, Darwin, Wolf and Ecuador.

This theory was upheld in the past by Darwin, Wolf and Agassiz - to quote only the best known partisans of the oceanic theory regarding the origin of the Archipelago. However, if this theory is accepted, we are forced to admit that the elements responsible for the origin of the flora and, later, the fauna of the Galapagos could only have been transported over the vast distances separating the islands from the mainland by winds, ocean currents and migratory birds. This is perfectly feasible in respect of plants with fine, light seeds such as can easily be carried by the wind.

It is also plausible in respect of more bulky seeds that can float and stand up to a prolonged immersion in sea water, such as those of the mangrove which has colonised the entire low-lying coasts of the sea in the hot regions.

It is also acceptable for many seeds which can hang on to the feathers or stick to the feet of birds or can simply be swallowed by them without losing their power of germination. This is particularly the case of the Galapagos tomato, the seeds of which are enveloped in a thick pouch and germinate more easily if they have been previously digested by an animal.

An inventory of the Galapagos flora confirms this theory, for it shows that the plants making it up nearly all have fine seeds, such as the compositae which are very much in evidence in the Galapagos, or the ferns whose spores can be transported by the wind even more easily. By way of a corollary, there are practically no plants with large seeds in the islands.

Nor is it difficult to imagine that animals of the size of a tortoise or an iguana could have made the crossing on natural rafts consisting of piles of tree trunks interlaced with lianas carried down by the rivers of the equatorial regions, swollen by the diluvian rainfall of the area. Particularly as these reptiles, unlike mammals, can withstand prolonged starvation - which could be a partial explanation of the comparative scarcity of mammals in the Galapagos.

On many occasions sailors have seen tree trunks thrown up onto the shores of the islands by the waves, and these, on account of their species, could only have come from the mainland, Moreover, at this latitude the Humboldt current runs from East to West and takes only a fortnight to bring flotsam from the mainland to the Archipelago.

What, however, is more difficult to explain is why these animals and plants, having succeeded without difficulty in covering the considerable distance from the mainland, have not subsequently spread throughout the islands. In this connection, the case of the land tortoises is particularly revealing. If we accept that these chelonians came from the mainland, why did they not subsequently cross the strip of sea separating the islands from each other instead of evolving in isolation into a number of species so different from each other that inter-breeding among them does not give valid results ?

This, no doubt, is one of the reasons why Georg Baur, Gunther and Van Denburgh have suggested that there was a connection between the mainland and the Archipelago at a time which they attribute to the Miocene. This theory is supported by the presence of two under-water cordilleras joining the mainland to the Galapagos shelf. One of these runs North-East and links the Archipelago to Central America; it is indicated by the position of the Cocos Islands. The other runs East-West; it is known as the Carnegie under-water cordillera and joins the Archipelago to Ecuador.

This theory makes it easy to suppose that the Archipelago was colonised along a land route running along these two isthmuses and that the vegetable and animal species subsequently evolved once the two routes had subsided and the various islands of the Archipelago were isolated.

However, geological research conducted since has invalidated this last hypothesis. The islands and the shelf on which they rest consist exclusively of volcanic rocks of comparatively recent date. The basaltic rocks of the submerged shelf date from a million and a half years ago at the most; the volcanoes which have emerged are much younger.

The process is still going on, and eruptions are frequent. The volcano which alone constitutes the island of Fernandina has erupted a dozen times since the whalers have been cruising near it. According to Captain Benjamin Morrel, who anchored his sailing ship a few miles from the island in 1825, the eruption that year was extremely violent; from the ruptured crater there poured forth a torrent of molten lava which rumbled as it swept into the sea, the temperature of which rapidly rose to 65°C (149°F). In 1958 the lake which occupied the middle of the crater disappeared. In 1961 and 1968 there were further eruptions with considerable flows of lava. Cerro Azul on the Island of Isabela erupted in 1947 and again in 1959; Alcedo erupted in 1963. Sierra Negra the crater of which is one of the largest in the world, reaching 11 kilometres over its greatest width, had violent eruptions in 1911, 1948, 1953, 1954 and 1963, to mention only the most recent ones.

According to the vulcanologist Howel Williams, the western part of the Archipelago is the largest and most active volcanic field in the world.

CLIMATE

The climate of the Galapagos Islands is somewhat surprising for the traveller who has not been forewarned, for, lying as they do under the equator, they should have a warm moist climate. This is not so. The temperature is not very high and rainfall is rare, at least in the coastal region. The responsibility for this unusual climate for such latitudes rests with the Humboldt current which, running along the coasts of Chile and Peru, turns West to bathe the Galapagos with its cold water.

From June to November, when the South-East winds blow, its influence is preponderant. The temperature of the sea is about 22°C (72°F). A fine rain, which the natives call "Garuas" falls for most of the day. A cool wind blows the whole time. The islands are bathed in a slight mist which made it so difficult for Spanish sailors to see them that they called them the "encantadas" islands.

When the South-East winds die down, the influence of the Humboldt current is counterbalanced by that of the warm current known as "El Niño", because this is a change which takes place just before Christmas.

From December to May, during the "winter", the sea temperature rises to about 25°C (77°F), the sun shines brightly, and there are only a few sporadic, though violent, showers.

The cold water brought by the Humboldt current is highly oxygenized and therefore rich in plancton, which creates an environment eminently favourable to the development of an abundant marine life.

Cetaceans, dolphins and whales, fish and crustaceans all multiply rapidly in these waters, together with the predators of the latter - the sea birds and seals.

The Humboldt current is also responsible for the aridity of the Archipelago - an aridity tempered by altitude on the largest islands, - and for the extreme drought which scourges the coasts of Chile and Peru. The cold waters have limited the formation of coral reefs and of mangrove swamps, which have only succeeded in developing in the most sheltered parts of the coasts.

Mitten aus den azurblauen Fluten des Pazifiks heben sich die lavaschwarzen niedrigen Küsten der Galapagosinseln vom Horizont ab. Ab und zu wird das dunkle Basaltgestein von blendendweissen Sandstränden oder auch von grellgrünen Mangrovebäumen unterbrochen. Unter der glühenden Sonne des Äquators hüllen sich die zerklüfteten Vulkankegel in einen goldenen Nebelschleier.

Die Küstenebenen bestehen nur aus erkalteten Lavaströmen, die von tiefen Spalten durchzogen werden, aus Felsengewirr, aufgetürmten Schlacken und Aschehaufen.

Eine sehr spärliche, graue, bisweilen grünliche Vegetation aus dornigem Buschwerk und den allgegenwärtigen Kakteen bestehend, hat diese verdorrten Böden überzogen.

Die "Gärten der Hölle" - dieser Ausdruck stammt von Charles Darwin - sind von einer seltsamen mineralischen Schönheit, die man eigentlich nur mit antiken Bildwerken vergleichen kann.

Und doch ähnelt keine Insel der anderen. Die Vulkane, die sie krönen und die Nebelschleier, die sie einhüllen, lassen Gebilde entstehen, die bald an kämpfende Raubtiere, bal an schlafende Riesen erinnern. Die Sonne lässt auf ihrer täglichen Laufbahn diese Laven und Aschen in den verschiedensten Tinten- und Oxydfarben erstrahlen, die der Palette eines flämischen Malers würdig wären. Und der Ozean, der sie umspült, schillert in tausend Blautönen, wechselt von türkisfarben über Saphirblau bis hin zum Blaurot des Amethystes und zaubert immer wieder Blauschattierungen, die sich nie ganz gleichen. Der Archipel der Galapagos heisst seit 1892 offiziell Archipel Colon. Er liegt 525 Seemeilen, das heisst genau 972 km von der Küste Ekuadors und erstreckt sich über beide Seiten des Äquators. Die nördlichsten Inseln liegen auf 1°40' nördlicher Breite, die südlichsten auf 1°36' südlicher Breite.

Der Archipel, dessen Gesamtfläche etwas mehr als 8000 qkm umfasst, setzt sich aus 19 Inseln, 42 Inselchen und 26 Felsen zusammen. Die Oberfläche von fünf Inseln ist grösser als 500 qkm. Es sind die Inseln Isabela, Santa Cruz, Fernandina, San Salvador und San Cristobal; die vierzehn anderen sind um vieles kleiner. Ihre Namen: Santa Maria, Marchena, Española, Pinta, Baltra, Santa Fe, Pinzon, Genovesa, Rabida, Seymour, Wolf, Tortuga, Bartolome und Darwin.

Diese Inseln sind manchmal ziemlich weit von einander entfernt. Mehr als 400 Kilometer trennen die Insel Darwin im Norden von der Insel Española im Süden. Von Osten nach Westen sind die Entfernungen weniger gross. So liegt San Cristobal nur 250 Kilometer von Fernandina entfernt.

Schon seit Ende des XVI. Jahrhunderts werden diese Inseln auf den Karten erwähnt. Auf der Karte des Ambrose Cowley, die 1684 veröffentlicht wurde und auf der des Kapitäns Colnett, aus den Jahren 1793 und 1794 sind die Namen der Inseln die von Königen, Admirälen, Offizieren, Aristokraten und Freibeutern Englands. Im Jahre 1892 verlieh die ekuadorianische Regierung diesen Inseln neue Namen spanischen Ursprungs. Aus diesem Grunde hat jede Insel mindestens zwei Namen; der eine, ältere, englischen Ursprungs, wird meistens in den wissenschaftlichen Ausgaben benutzt; der andere, spanischen Ursprungs, wird offiziell angewandt. So wird die Insel Española auch Hood genannt, zu Ehren des Admirals Vicomte Samuel Hood. Die Insel Isabela ist zugleich der Königin Isabela von Spanien und dem Herzog von Albemarle gewidmet.

GESCHICHTE

Die Legende berichtet von dem Inkakönig Tupac Yupanqui, der von diesem weitentfernten Archipel hatte sprechen hören; er soll sich auf den weiten Ozean hinausgewagt und so zwei Inseln entdeckt haben, denen er die Namen Nina-Chumbi (Feuerinsel) und Hahua-Chumbi (die ferne Insel) gab.

Doch die Geschichte liefert den Beleg dafür, dass die Galapagosinseln im Frühjahr des Jahres 1535 von Tomas de Berlanga, dem Bischof von Panama, entdeckt wurden; dieser begab sich nach Peru, um im Auftrag Kaiser Karls V. den Streitigkeiten, die zwischen zwei Conquistadoren: Francisco Pizarro und Diego de Almagro, ausgebrochen waren, ein Ende zu setzen. Während einer Windstille wurde das Schiff vom Humboldtstrom aufs weite Meer hinausgetrieben. Nach mehreren angstvollen Tagen sichteten die unglücklichen Seefahrer Land am Horizont. Sie landeten und entrannen so dem Tod.

Der Bischof von Panama übermittelte dem Kaiser eine interessante Beschreibung der Inseln, die er gerade entdeckt hatte. Er berichtete ihm von den Riesenschildkröten, den Leguanen und den Seevögeln, die sie bevölkerten.

Einige Jahre später flüchtete sich Diego de Rivadeneira auf diese Inseln, um der Rache des Francisco Pizarro zu entgehen; auch er wurde von der aussergewöhnliche Grösse der dortigen Schildkröten beeindruckt.

Später wurde dann der Archipel ein Tummelplatze für Freibeuter und Piraten, die die Inseln für ihre Angriffe gegen die spanischen Schiffe und Häfen des Kontinents als Schlupfwinkel und Operationsbasen benutzten. Die Geschichte hat die Namen der berühmtesten unter ihnen aufbewahrt: Dampier, Cook, Cowley, Wafer, Knight und Davis.

Den Freibeutern folgten anfangs des XIX. Jahrhunderts die Walfänger. Mit ihnen begann eine rücksichtslose Ausplünderung des Tierreichtums dieses Archipels. Tausende von Schildkröten, vor allem aber die wegen ihrer Felle begehrten Seelöwen, wurden abgeschlachtet.

Nach einem Streifzug durch den Archipel kam der General José de Villamil auf die Idee, diesen zu kolonisieren. Nachdem er sein Projekt dem General Juan José Flores, dem Präsidenten der Republik Ekuador, unterbreitet hatte, schickte dieser eine Expedition, unter Leitung des Obersten Ignacio Hernandez, der feierlich von den Inseln Besitz nahm; so gelangten diese am 12. Februar 1832 unter die Souveränität Ekuadors. Villamil brachte eine Gruppe von zu Tode verurteilten politischen Gefangenen zusammen, zu denen auch einige Handwerker und Bauern stiessen, und gründete mit ihnen eine erste Kolonie auf der Insel Floreana. Die Siedler brachten Vieh und Geflügel auf die Insel mit, was sich später als äusserst schädlich für Flora und Fauna erweisen sollte. Der Arbeitseifer und die Moral der Siedler liessen bald zu wünschen übrig. Es kam zu Reibereien und schliesslich zu Revolten, bei denen zwei Gouverneure ums Leben kamen. Die Mehrzahl der Siedler verliess schliesslich die Insel Floreana und liess sich auf der Insel San Cristobal nieder.

Im Jahre 1870 erhielt José Valdizan eine Konzession, die ihm erlaubte, Orchillas zu sammeln, eine Flechtenart, die von den Färbereien als Färbemittel verwandt wird. 1888 legte Manuel Cobos eine Zuckerrohrplantage an; beide Männer ereilte dasselbe Schicksal. Von ihren Sklaven wurden sie ums Leben gebracht.

1893 gründete Don Antonio Gil die beiden Dörfer von Villamil und Santo Tomas auf der Insel Isabela.

1902 untersagte die ekuadorianische Regierung die Deportation von Verurteilten auf die Inseln. Im Jahre 1923 erliess sie Dekrete, die ihre Kolonisation erleichtern sollten.

1926 liessen sich Norweger in den Bergen der Insel Santa Cruz nieder.

Während des zweiten Weltkrieges erteilte die ekuadorianische Regierung den Vereinigten Staaten die Erlaubnis, eine Militärbasis auf der Insel Baltra anzulegen, um die nähere Umgebung des Panamakanals besser überwachen zu können. Der Flughafen wird zwar heute noch benutzt, von der Fauna ist dabei allerdings nichts mehr übriggeblieben.

Augenblicklich sind fünf Inseln bewohnt: San Cristobal, Hauptstadt Puerto Baquerizo Moreno, mit weniger als 2000 Einwohnern. Auf Santa Cruz leben nicht ganz 1000 Personen, die sich auf Puerto Ayora und die Bergdörfer Bellavista und Santa Rosa verteilen. Dazu kommen noch ungefähr 500 Personen, die auf den Inseln Isabela, Floreana und Baltra mit seinem Flughafen wohnen.

Die Gesamtbevölkerung des Archipels beträgt demnach ungefähr 3500 Personen, die an der Küste hauptsächlich von Fischfang und Tourismus, in den Bergen, vor allem auf Santa Cruz, von Ackerbau und Viehzucht leben. Um der Flora und der Fauna des Nationalparks keinen Schaden zuzufügen, ist die Zahl der Touristen auf gleichzeitig höchstens tausend beschränkt. Die Immigration von Siedlern ist untersagt. Wie schon in der Vergangenheit, verhindert auch jetzt noch der Mangel an Trinkwasser ein Anwachsen der Bevölkerung.

DIE URZEIT

Das ozeanische Entstehen des Archipels wird heutzutage nicht mehr bestritten. Es steht jetzt endgültig fest, dass diese Inseln im Laufe der Zeit durch die aufeinander folgenden Lavaausbrüche der unter Wasser liegenden Vulkane entstanden, die in diesem Erdteil besonders zahlreich sind. Diese Region gilt, mit ungefähr zwanzig anderen Regionen, zu denen auch die Inseln Hawaii und Island gehören, zu den vulkanreichsten Stellen der Welt.

Im Laufe der Zeit stiegen die Vulkane aus dem Ozean empor, um diesen mondartigen Archipel zu bilden, so wie wir ihn heute kennen. Die einen erheben ihre einsamen Krater über den Wellen, andere wieder, näher beieinander gelegen oder noch aktiv, vereinigen sich, um Inseln mit den verschiedensten Konturen zu bilden; so zum Beispiel die Insel Isabela, die aus sechs Vulkanen zusammengewachsen ist, und zwar den Vulkanen Cerro Azul, Sierra Negra, Alcedo, Darwin, Wolf und Ekuador.

Diese Theorie wurde schon in der Vergangenheit von Darwin, Wolf und Agassiz aufgestellt, um nur die bekanntesten Vertreter der Theorie von dem ozeanischen Entstehen des Archipels zu nennen. Doch wenn man sich diese These zu eigen macht, muss man auch annehmen, dass die der Flora und später auch der Fauna der Galapagos zugrundeliegenden Elemente auf den beträchtlichen Entfernungen, die den Archipel vom Kontinent trennen, nur von Winden, Meeresströmungen und Zugvögeln befördert werden konnten. Es ist durchaus möglich für Pflanzen, die feine und leichte Samenkörner haben, sich vom Wind treiben zu lassen.

Es ist ebenfalls möglich für umfangreichere Samenkörner, die auf dem Wasser treiben und einen längeren Aufenthalt im Meerwasser vertragen können, wie zum Beispiel die Samen der Mangrove, die man an allen niedrig gelegenen Küsten der warmen Meere antrifft.

Das kann auch für Samenkörner der Fall sein, die an den Federn der Vögel hängen bleiben oder sich an deren Beine kleben, oder noch einfacher, die von ihnen verschluckt werden, ohne dass sie dabei an Keimfähigkeit verlieren. Das ist zum Beispiel bei den Galapagostomaten der Fall, deren Samenkörner von einer dicken Hülle umgeben sind und die sogar leichter keimen, wenn sie vorher von einem Tier verschluckt worden waren.

Die Bestandsaufnahme der Flora der Galapagos bestätigt diese These, denn das Studium dieser Flora hat es ermöglicht festzustellen, dass die meisten Pflanzenarten besonders leichte Samenkörner haben, wie zum Beispiel die Korbblütler, die besonders reichlich auf den Galapagos vertreten sind, oder die Farnkräuter, deren Sporen sich besonders leicht vom Wind treiben lassen. Deshalb sind auch Pflanzen mit schweren Samenkörnern kaum auf diesen Inseln vertreten.

Man kann sich ebenfalls vorstellen, dass so grosse Tiere wie die Schildkröten oder die Leguane die Überfahrt auf natürlichen Flössen geschafft haben, die aus zusammengeschobenen Baumstämmen und verschlungenen Lianen bestanden, die von den Strömen nach den sintflutartigen Regen, die in diesen unter dem Äquator gelegenen Regionen häufig sind, angeschwemmt werden. Dazu kommt noch, dass diese Reptilien sehr lange auf Nahrung verzichten können - was bei den Säugetieren nicht der Fall ist. Das kann auch zum Teil die verhältnismässige Seltenheit der letzteren auf den Galapagos erklären.

Verschiedentlich haben Seefahrer auf den Stränden der Inseln angeschwemmte Baumstämme gesichtet; diese konnten, ihrer Holzart nach, nur vom Kontinent stammen. Ausserdem bewegt sich in diesen Breitengraden der Humboldtstrom von Osten nach Westen und es bedarf höchstens vierzehn Tage, um diese schwimmenden Überreste vom Kontinent zum Archipel zu treiben.

Es ist allerdings schon schwieriger zu erklären, warum es diesen Tieren oder diesen Pflanzen, die ohne weiteres die beträchtliche Entfernung, die den Kontinent vom Archipel trennt, überschreiten konnten, nicht möglich war, dann auch auf den anderen Inseln Fuss zu fassen. Der Fall der Land-schildkröten ist in dieser Hinsicht besonders aufschlussreich. Wenn man allgemein annimmt, dass diese Schildkröten vom Kontinent gekommen sind, so versteht man nicht, warum sie dann später nicht auch die Meeresarme überschritten haben, die die Inseln voneinander trennen, und dass sie sich im Gegenteil, im Laufe der Zeit so verschiedenartig und isoliert entwickelt haben, dass jetzt Kreuzungen zwischen den verschiedenen Rassen keine lebensfähigen Jungen hervorbringen.

Zweifellos haben aus diesem Grunde Georg Baur, Günther und Van Denburgh angenommen, dass im Miozän eine Verbindung zwischen dem Kontinent und dem Archipel bestand. Diese Theorie stützt sich auf die Existenz zweier unterseeischer Bergzüge, die den Kontinent mit der Plattform der Galapagos verbinden. Der eine verläuft nordöstlich und verbindet den Archipel mit Zentralamerika. Auf ihm liegen die Kokosinseln. Der andere, den man als die unterseeische Carnegie-Kordillere bezeichnet, verbindet die Inseln über eine westöstlich verlaufende Axe mit Ekuador.

Danach konnte man sich leicht vorstellen, dass die Besiedlung des Archipels auf dem Landweg längs dieser beiden Landengen stattfand und dass die spätere Entwicklung der Pflanzen und Tiere voneinander verschiedene Gattungen hervorbrachte, als diese Verbindungswege zusammenbrachen und die verschiedenen Inseln des Archipels durch das Meer getrennt wurden.

Neuere geologische Forschungen haben diese Hypothese allerdings widerlegt. Die Inseln und die Plattform, auf der sie ruhen, sind nur aus vulkanischem, verhältnismässig jungem Gestein zusammengesetzt. Die Basalte der im Meer liegenden Plattform sind höchstens eine Millionen fünfhunderttausend Jahre alt und die aus dem Meer emporgeschossenen Vulkane sind noch jüngeren Datums.

Der Prozess vollzieht sich immer noch und die Ausbrüche sind zahlreich. Der Vulkan, der die Insel Fernandina entstehen liess, ist schon mehr als zehnmal zum Ausbruch gekommen seit die Walfischfänger in seiner Umgebung kreuzten. Der Ausbruch von 1825 war nach den eigenen Worten des Kapitäns Benjamin Morrel besonders heftig; sein Segelschiff war einige Meilen vor der Insel vor Anker gegangen. Aus dem klaffenden Krater ergoss sich ein siedender, tosender Lavastrom ins Meer, dessen Temperatur schnell 65° erreichte. 1958 verschwand der See, der den Krater füllte. 1961 und 1968 kam es zu neuen Ausbrüchen mit bedeutenden Lavaströmen. Auf der Insel Isabela ist der Cerro Azul in den Jahren 1947 und 1959 aktiv geworden; der Alcedo im Jahre 1963. Der Sierra Negra, dessen Krater einer der grössten der Welt ist (bis zu 11 km breit), wurde in den Jahren 1911, 1948, 1953, 1954 und 1963 aktiv; und dies sind nur die Ausbrüche der letzten Jahrzehnte.

Der Vulkanforscher Howel Williams ist der Meinung, dass der westliche Teil des Archipels das ausgedehnteste und aktivste Vulkanfeld der ganzen Welt sei.

KLIMA

Das Klima der Galapagosinseln ist für den unerfahrenen Reisenden ziemlich überraschend, denn diese am Äquator gelegenen Inseln sollten eigentlich ein warmes und feuchtes Klima aufweisen; doch davon kann keine Rede sein. Die Temperatur ist nicht besonders hoch und die Niederschläge sind selten, zumindest in den Küstengebieten. Diese für solche Breitengrade etwas ungewöhnlichen Klimaverhältnisse sind dem Humboldtstrom zuzuschreiben, der, nachdem er an den Küsten Chilis und Perus entlanggeflossen ist, nach Westen abbiegt, um mit seinen kalten Wassern die Galapagos zu umspülen.

Von Juni bis November, wenn die Südostwinde wehen, ist sein Einfluss vorherrschend. Die Meerestemperatur beträgt ungefähr 22°. Ein feiner Regen, den die Eingeborenen "Gavuas" nennen, fällt den grössten Teil des Tages. Ständig weht ein frischer Wind. Der leichte Nebel, der die Inseln einhüllte, erschwerte es den spanischen Seefahrern, sie ausfindig zu machen. Daher der Beiname "encantadas".

Wenn die Südostwinde abflauen, wird der Einfluss des Humboldtstroms von einer warmen Strömung ausgeglichen; man nennt diese Strömung "El Niño", weil sie kurz vor Weihnachten einsetzt.

Während der "Wintermonate", Dezember bis Mai, steigt die Meerestemperatur auf ungefähr 25° an, es herrscht heller Sonnenschein und Niederschläge sind selten, dafür umso heftiger.

Diese kalten Wasser, die der Humboldtstrom mit sich führt, sind besonders sauerstoffhaltig, und deshalb reich an Plankton. Und dort, wo es reichliche Nahrung gibt, sind die Vorbedingungen für eine schnelle Vermehrung für alle Tiere des Meeres gegeben.

Es wimmelt in diesen Wassern von Walfischen, Delphinen, sonstigen Fischen und Krustentieren, die natürlich wiederum Seevögel und Seelöwen anziehen.

Der Humboldtstrom ist ebenfalls für die Dürre des Archipels verantwortlich, eine Dürre, die auf den grössten Inseln durch die Höhenlage gemildert wird; er ist übrigens auch der Grund für die grosse Trockenheit der Küsten Chilis und Perus. Seine kalten Wasser haben die Bildung von Korallenriffen und das Wachstum von Mangroven stark behindert, die sich nur an den bestgeschützten Stellen der Küsten entwickeln konnten.

Cráteres y campos de lavas de la isla de San Salvador, vistos desde la cumbre de la isla de Bartolomé. (Página siguiente).

Cratères et champs de lave de San Salvador, vus du sommet de l'île de Bartolomé. (Page suivante).

Craters and lava fields on San Salvador seen from the highest point on Bartolome Island. (Following page).

Krater und Lavafelder von San Salvador, vom höchsten Gipfel der Bartolomäusinsel aus gesehen. (Folgende Seite).

A ras de las ondas marinas de un azul profundo, la isla Bartolomé perfila sus costas de lavas negras.

Au ras des flots d'un bleu profond de l'océan, l'île de Bartolomé profile ses côtes de laves noires.

The black lava coast of Bartolome Island standing out from the deep blue waves of the ocean.

Von den tiefblauen Wassern des Ozeans heben sich die schwarzen Lavaküsten der Insel Bartolomäus ab.

Picacho de lava profundamente erosionado por los vientos marinos.

Aiguille de lave profondément érodée par les vents marins.

Needle of lava eroded by the sea winds.

Eine von den Seewinden tief ausgewaschene Lavanadel.

Bahía de Puerto Ayora en Santa Cruz, resguardada por acantilados.

Falaises abritant la baie de Puerto Ayora à Santa Cruz.

Cliffs sheltering Puerto Ayora Bay at Santa Cruz.

Die die Bucht von Puerto Ayora in Santa Cruz beschirmenden Klippen.

Corriente de lava en Sullivan Bay, en la isla de San Salvador.
Coulées de lave à Sullivan Bay, sur l'île de San Salvador.
Lava flow at Sullivan Bay on' San Salvador Island.
Erkaltete Lavaströme in der Sullivan Bay auf der Insel San Salvador.

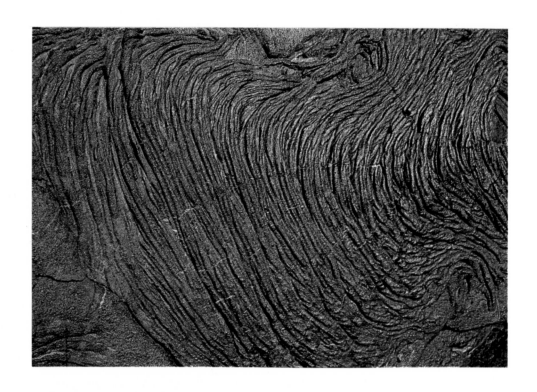

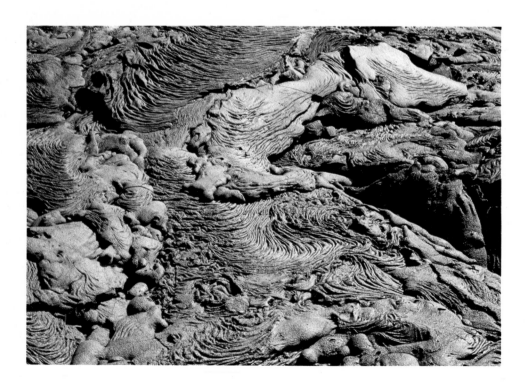

Cráteres despedazados en la isla de San Bartolomé.
Cratères déchiquetés de l'île de Bartolomé.
The town craters of Bartolome Island.
Zerklüftete Krater auf der Insel Bartolomäus.

El "Jasminocereus thouarsii" cactus esbelto cuyo porte recuerda un gigantesco candelabro, es muy característico de las zonas del litoral de Santa Cruz. (Al lado).

Très caractéristique des zones littorales de Santa Cruz, le Jasminocereus thouarsii est un cactus élancé dont le port rappelle un gigantesque candélabre (Ci-contre).

Jasminocereus thouarsii, which is highly characteristic of the coastal areas of Santa Cruz, is an elegant cactus which looks rather like a huge chandelier. (Opposite).

Sehr charakteristisch für die Küstenzonen von Santa Cruz ist der "jasminocereus thouarsii", ein hochaufragender Kaktus, der an einen Kandelaber denken lässt. (Beiliegend).

A lo largo de las planicies costeñas de la isla de Santa Cruz tanto los matorrales bajos, como los cactus que los dominan están erizados de espinas.

Le long des plaines côtières de l'île de Santa Cruz, les buissons bas, comme les cactus qui les dominent, sont hérissés d'épines.

Throughout the coastal plains of Santa Cruz Island, low bushes such as the predominant cactus, are covered with prickles.

Längs der Küstenstriche von Santa Cruz sind die niedrigen Gebüsche wie die sie überragenden Kakteen mit Stacheln bedeckt.

Malesa espinosa que crece en las orillas de las aguas salobres de la isla de San Salvador.

Fourrés épineux croissant au bord des eaux saumâtres de l'île de San Salvador.

Prickly thickets growing on the shores of the salt lakes of San Salvador Island.

Stachlige Gesträppe wachsen am Rand der Brackwasser der Insel San Salvador.

Opuntia de la islà de Plaza, cuyo tronco está cubierto por un espeso vellón de espinas.

Opuntia de l'île de Plaza, au tronc recouvert d'une épaisse toison d'épines.

Opuntia on the Island of Plaza, its trunk covered with a thick mass of thorns.

"Opuntia" der Insel Plaza, deren Stamm von einem dichten Stachelvlies bedeckt ist.

Los "Opuntia echios' en los alrededores de Puerto Ayora, en Santa Cruz, pueden alcanzar hasta unos doce metros de altura. (Al lado).

Les Opuntia echios des environs de Puerto Ayora, à Santa Cruz, peuvent atteindre une douzaine de mètres de hauteur. (Ci-contre).

Opuntia echios in the neighbourhood of Puerto Ayora on Santa Cruz may attain as much as 40 feet in height. (Opposite).

Die "Opuntia echios" der Umgebung von Puerto Ayora auf Santa Cruz können bis zu 12 m hochwerden. (Beiliegend).

En su mayoría la escasa vegetación de la isla de Plaza está formada por Opuntia y Sesuvium.

La maigre végétation de l'île de Plaza est constituée principalement par des Opuntia et des Sesuvium.

The meagre vegetation of Plaza Island consists mainly of Opuntia and Sesuvium.

Die magere Vegetation der Insel Plaza besteht hauptsächlich aus "Opuntia" und "Sesuvium".

Los "Coldenia" y los "Chamaesyce" son los primeros vegetales que colonizaron las lavas y las cenizas.

Les Coldenia et les Chamaesyce sont les premiers végétaux qui colonisent les laves et les cendres.

Coldenia and Chamaesyce are the first plants to grow among lava and ashes.

Die "Coldenia" und die "Chamaesyce" sind die ersten Pflanzen, die auf Lava und Asche Fuss gefasst haben.

Coldenia.

Entre las corrientes de lavas, el "Brachycereus nesioticus" levanta sus cortos tallos cilíndricos, disimulados debajo de largos y dorados aguijones.

Le Brachycereus nesioticus érige, parmi les coulées de laves, ses courtes tiges cylindriques, dissimulées sous de longs aiguillons dorés.

Among the lava flows the Brachycereus nesioticus pushes up its short cylindrical stems hidden beneath long golden needles.

Der "Brachycereus nesioticus" streckt zwischen den erkalteten Lavaströmen seine kurzen zylinderförmigen Stengel empor, die von langen goldfarbenen Stacheln verdeckt sind.

Historia de la Investigación Científica en el Archipiélago

Las primeras observaciones científicas en el Archipiélago fueron realizadas en 1790, durante un viaje alrededor del mundo. La misión española fue encabezada por el capitán Alessandro Malaspina.

En 1825, los botánicos John Scouler, Henry Hauwell y David Douglas coleccionaron plantas en la isla de San Salvador. Por su parte, Hugh Cuming, a bordo de la Discovery, cosechó plantas y conchas en 1829. Seis años más tarde, el H.M.S. Beagle, dirigido por el Capitán Robert Fitz-Roy quien efectuaba la vuelta al mundo, ancló en las aguas del Archipiélago. A bordo se encontraba Charles Darwin. Las observaciones que realizó del 15 de septiembre al 20 de octubre de 1835 en las islas Galápagos, aportaron argumentos decisivos en relación con la teoría de la evolución, cuando, cuatro años más tarde, publicó la obra que sigue siendo famosa acerca del origen de las especies y la selección natural. Esta obra, que cambió las ideas de la época sobre la génesis de las floras y faunas terrestres, significó, como lo escribió Julián Huxley, el abandono del imperio feérico del creacionismo y el acceso al mundo coherente y comprensible de la biología moderna.

Charles Darwin anotó primero que las islas Galápagos mucho se parecían a las islas del Cabo Verde, en cuanto a la geografía y especialmente al clima, pero que tanto la flora como la fauna de ambos archipiélagos eran completamente diferentes. La flora y fauna de las Galápagos tenían afinidades con las de América del Sur, mientras que las del Cabo Verde se parecían a las especies de Africa. Sin embargo, aunque estas floras y faunas insulares fueran muy similares a las de los continentes vecinos, no eran del todo idénticas, y muchos eran los animales y las plantas propios de estas islas. Además, le sorprendió comprobar que, en las Galápagos, las especies variaban de una isla a la otra.

La diferencia entre las tortugas y los cucuves era mínima, y era más neta entre los pinzones. Darwin admitió, pues, que para semejarse a las de los continentes vecinos, las especies insulares habían tenido ancestros comunes, pero que al mismo tiempo, para diferenciarse, habían evolucionado aisladamente de generación en generación, sin que ninguna consanguinidad haya podido eliminar las diferencias producidas después de su separación. Demostró así los efectos de la evolución sobre las especies aisladas por "barreras" geográficas, tales como los océanos. Darwin, más tarde, demostró los efectos sobre las especies fósiles de los armadillos, comparándolos con las que viven actualmente en América del Sur.

Al admitir que las especies evolucionaban, quedaba por demostrar la razón. Los pájaros que Darwin trajo de las Galápagos fueron examinados por el célebre ornitólogo John Gould. Comprobóse entonces que todos los pequeños pájaros que fueron estudiados pertenecían a la misma familia de los pinzones, y que tan solo se diferenciaban entre sí por la forma del pico. De acuerdo con los principios de la selección natural de Darwin, la historia de los pinzones en las islas Galápagos podría explicarse así: cuando en las Galápagos no existía ningún pájaro, algunas parejas de pinzones llegaron del continente. Eran granívoros, y en las islas consumieron semillas como era su costumbre. Con cada nueva generación, su número fue creciendo hasta que no tuvieron bastantes granos para alimentarse y muchos de ellos murieron de hambre. Entonces los pinzones que poseían un pico más robusto comenzaron a comer semillas más gruesas y más duras, hasta entonces despreciadas; los que tenían pico más fino atacaron a los insectos. Y así de generación en gener-ción sobrevivieron adoptando regímenes alimenticios cada vez más variados. De la especie que se estableció al comienzo en el Archipiélago, proceden las trece especies actuales, y cada una de ellas ostenta un régimen distinto. La familia de los pinzones desempeña en el Archipiélago el papel de numerosas familias de pájaros en el continente.

Después del viaje de Darwin, muchos son los que vinieron a estudiar la flora y la fauna de las Galápagos.

En 1838, Abel Dupetit-Thouars, quien a bordo del Venus, llevó al Museum de Historia Natural de París, plantas inéditas; en 1852, el zoólogo Himberg y el botánico Anderson quién publicó el primer estudio de la flora de las islas Galápagos. Luego llegaron Simeón Habel, quien coleccionó en 1888 pájaros, insectos y moluscos; Louis Agassiz y Franz Steidachner, en 1873; Teodoro Wolf y Georg Baur efectuaron relevamientos geológicos, el primero en 1875 y 1878 y el segundo en 1891.

La expedición Webster-Harris procedió al estudio de las tortugas en 1891.

Desde diciembre de 1898 hasta junio de 1899, Edmund Heller y Roberto Snodgrass coleccionaron varias plantas y reptiles.

En 1905 Rollo Beck capturó tortugas para la colección de W. Rothschild.

Bajo la dirección de la Academia de Ciencias Naturales de California se organizó la más importante expedición conocida hasta hoy. Varios especialistas en diversas disciplinas: ornitología, entomología, herpetologia, zoología, botánica y geología permanecieron en el Archipiélago durante un año, desde septiembre de 1905 hasta septiembre de 1906.

En 1907, Van den Berghe revisó la clasificación de las tortugas elefantinas.

William Beebe, de 1923 a 1925; Wolleboek en 1924; Allan Hancock en 1922, realizaron diversos estudios en el Archipiélago.

La Academia de Ciencias de California organizó una nueva expedición en 1932: Lo mismo que la "Templeton-Crocker Expedition" durante la cual numerosos pájaros, peces, insectos, moluscos, fósiles y plantas fueron coleccionados.

Bajo los auspicios del "Galápagos International Scientific Project" y con el concurso de la Academia de Ciencias de California, otra expedición de suma importancia fué organizada en 1964. En ella participaron sesenta investigadores.

El interés constante que demostraron los naturalistas del mundo entero por las islas Galápagos, no sólo se explica por el hecho de que Darwin concibió una teoría sobre el origen de las especies, basada en las observaciones que realizó en estas islas, ni tampoco porque la flora y la fauna presenten una riqueza exuberante; al contrario, la flora y la fauna de las Galápagos son precisamente pobres si se les compara con las de regiones vecinas.

Su interés proviene de que, como las islas estuvieron siempre aisladas del continente, la flora y fauna son muy distintas, y un gran número de especies que las componen son endémicas. Sobre las 702 especies que encierra la flora de las islas Galápagos, publicada por Wiggins y Porter, en 1971, 220 especies son endémicas, o sea 32.5% de las especies pertenecen a dicha flora. Es una cifra considerable. El género Scalesia, que comprende 11 especies y Lecocarpus, que comporta tres especies, son particulares de las islas, como también todos los cactus de las Galápagos. En lo que atañe a los pájaros, la proporción de endémicas es aún más elevada; sobre 57 especies que residen en el Archipiélago, 20 son endémicas. Además la pobreza de la fauna de las islas permitió que ciertas especies muy arcaicas, tales como las tortugas gigantes, pudieran mantenerse mientras que estos reptiles no pudieron sobrevivir en los demás continentes, pues fueron sometidos a la competencia de animales más voluminosos contra los cuales no pudieron luchar.

Pero lo que más despertó la curiosidad de los naturalistas, fue, sin duda, lo que escribió Jean Dorst: "Aquí, el biólogo se encuentra en la posición del químico que sólo hubiese mezclado algunos elementos en su probeta y pudiera estudiar con facilidad la reacción de cada uno; en estas islas, la trama de la historia evoluciona y la diferenciación de las formas se vuelve evidente".

LA FLORA

Si bien la flora de las islas Galápagos, comparada con la fauna, ha carecido muchas veces de interés para el visitante, ello no significa que no sea digna de ser estudiada. Las múltiples especies endémicas podrían prestarse a las mismas especulaciones sobre los orígenes de la vida en el Archipiélago que las especies animales utilizadas para el estudio. Es evidente que las flores de las plantas de las islas Galápagos por lo general son muy modestas, debido a que los insectos polinizadores son escasos, con excepción del abejorro de Darwin (Xylocopa darwini). Es indiferente que los vegetales se vistan o no de flores excepcionales, pues de todas maneras la polinización resulta bastante difícil. Existe una sola excepción, la Cordia lutea, que se adorna con lindas flores amarillas; se trata de una especie llegada tardíamente al Archipiélago, pues en el continente se encuentran otras similares. Por lo contrario las dos otras especies de Cordia endémicas colonizaron el Archipiélago en un período muy remoto, y sus flores son insignificantes.

En las orillas de las bahias más apartadas de la corriente fría de Humboldt, crecen manglares. Los mangles, Rhiszophora y Avicennia, hunden sus múltiples raíces aéreas en el agua salada. Pero las plantas más notables del archipiélago, las que se imponen inmediatamente a la vista del viajero que desembarca, son los cactus. En todas las islas del Archipiélago crecen tunas, grandes Opuntia cuyos segmentos de ramas sumamente espinosas, están aplanados en forma de raqueta. Las seis especies de Opuntia de las islas Galápagos son todas endémicas. Algunas tienen el aspecto de un matorral, como las especies del mismo género que crecen en el continente americano, pero otras, en las Galápagos, poseen un tronco elevado, a veces muy espinoso, a veces liso y de un color marrón rojizo. Las Opuntia echios, muy numerosas en los alrededores de Puerto Ayora, en la isla de Santa Cruz, alcanzan una altura de doce metros. También muy característico de las llanuras costeñas áridas, es el Jasminocereus thouarsii, cactus grande, cuyo porte afinado hace pensar en un candelabro gigante. Sus frutas, como las de los Opuntia, son muy agradables de comer. Menos visible, es el Brachycereus nesioticus, que levanta entre las corrientes de lavas sus cortos tallos cilíndricos, disimulados debajo de grandes aguijones dorados. Los Brachycereus constituyen con las Coldenia y los Chamaesyce, pequeñas plantas endémicas de aspecto sumamente modesto, los primeros vegetales que colonizan las lavas y las cenizas.

En la parte litoral, además del cactus, la vegetación está compuesta por matorrales flacos, a veces espinosos, que pertenecen a los géneros Acacia, Parkinsonia, Maytonus, Castela y Scutia, entre otros. Las plantas bajitas, Heliotropos, Alternanthera, Lantana, Cypeaceas y graminados abundan en estas regiones. Al final de la temporada seca, los Sesuvium, plantas carnosas y rastreras, se vuelven de un bello color rojo, y especialmente en la isla de Plaza, los Sesuvium admonstonei se cubren de un manto rojo resplandeciente.

El árbol que más abunda en las islas, y sin duda uno de los más grandes, es el "Palo Santo" (Bursera gravoelens), el cual durante toda la temporada seca alza sus ramas grises desprovistas de hojas, a modo de gigantesco espantapájaros. El nombre que le fue atribuido por los españoles proviene del aroma que despide su madera recién cortada.

En las faldas de las montañas de las islas más grandes, una vegetación abundante sucede a la muy pobre de las planicies costeñas; Hacia los cien metros de altura ya se aprecia la diferencia; la vegetación es más densa, más verde, los árboles más altos y frondosos; sus ramas llevan gran cantidad de líquenes plateados que se agitan bajo los vientos, como colgaduras. Los primeros helechos se disimulan en las cavidades de las rocas, a la sombra de los bosques.

En esta latitud, en la isla de Santa Cruz, los "Pega pega" (Pisonia floribunda) son muy numerosos y caracterizan perfectamente esta región cuya vegetación constituye la transición entre las zonas costeñas áridas, donde sólo crecen plantas xerófilas, y la zona llamada "de las Scalesia", que comienza hacia unos 200 metros encima del nivel del mar. Aquí las precipitaciones son más abundantes, del orden de un metro por año. La humedad es más fuerte y el suelo más rico en humus, lo cual permitió que la selva se desarrollara. Las Scalesia forman en este lugar densos bosques; su tamaño es más elevado, y alcanza hasta unos diez metros.

En la penumbra de los bosques crecen hongos y numerosos helechos, y los bejucos se enganchan en las ramas de los árboles en busca de luz. Es el imperio de la pasiflora (Pasiflora suberosa) y de las epífitas que eligieron domicilio en las ramas más elevadas de los árboles, líquenes, orquídeas (Epidendrum spicatum), bromeliáceas (Tillandsia insularis).

Más arriba aún, entre 400 y 500 metros, cerca de las cumbres, están los matorrales de Miconia, de un verde morado, género endémico del archipiélago que reemplaza las selvas de Scalesia. A sus pies los helechos y los licopodios abundan, y se desarrollan amplias extensiones de gramíneas. Más allá, en las cumbres montañosas elevadas, sólo crecen helechos y gramíneas. En las faldas de los cráteres más húmedos de la isla de Santa Cruz, se puede apreciar el maravilloso helecho arborescente de las Galápagos (Cyathea waetherbyana), cuyo tamaño puede exceder de tres metros.

LA FAUNA

Las iguanas

Las bajas costas, formadas por los amontonamientos caóticos de bloques de lava negra, están animadas por una multitud de cangrejos de un rojo vivo, punteados de azul pastal debajo de los ojos. Se desplazan con velocidad por las rocas, avanzando o retrocediendo, al capricho de las olas que se rompen con ruído estrepitoso.

Retirados de las salpicaduras de las olas, pero cerca del mar, los animales más extraños del archipiélago se juntaron en grupos compactos: las iguanas marinas (Amblyrhynchus cristatus) cuyo aspecto evoca un monstruo de la prehistoria o un dragón de la mitología. Con su cresta dentada encima del lomo y provista de poderosas garras, la iguana de mar es por lo general de color oscuro, casi negro, como las rocas que la rodean, salvo en la isla Española donde reviste durante todo el año un bello color de mármol rojo y naranja.

En las otras islas, en la época de la reproducción, los machos poseen un color más vivo y su cuerpo por adelante está sembrado de manchas amarillas, rojas y verdes.

De tamaño relativamente importante, puesto que los adultos miden hasta un metro veinte de largo, la iguana marina es un animal de costumbres apacibles, totalmente inofensiva para el hombre. Suele ponerse agresiva durante el período de reproducción, en diciembre y enero, época en la cual los machos libran simulacros de combate para defender su pequeño territorio, tan restringido que una iguana puede elegir domicilio en la cumbre de una piedra gruesa y otra al pie del mismo bloque. Luego las hembras cavan agujeros en las arenas de las playas o en la tierra blanda, en las orillas, para depositar dos o tres huevos que dan vida en el mes de mayo.

La iguana marina presenta un interés particular para los biólogos, pues es actualmente el único saurio del mundo que se adaptó a la vida moderna. Nada con facilidad; sus miembros pegados al cuerpo, agitando lateralmente su larga cola para propulsarse. Cuando la marea está baja, sale a las rocas en busca de las algas con las cuales se nutre. Sometido a grandes variaciones de temperatura, inusitadas para un reptil, cuando se tira desde las rocas recalentadas al agua fría del mar, debe retardar su enfriamiento, quedándose sin embargo activo para nutrirse y escapar a los eventuales enemigos, tales como los tiburones. Luego debe calentarse rápidamente cuando vuelve a la playa, y esto lo logra modificando su ritmo cardíaco. En efecto, se ha comprobado en el laboratorio que este reptil demora en perder su calor la mitad del tiempo que necesita para recuperarlo, cuando la temperatura del medio ambiente baja o aumenta en igual número de grados.

Por lo mismo, la iguana de mar elimina el exceso de sal que absorbe con el agua de mar y las algas fuertemente saladas que constituyen su comida, según un mecanismo fisiológico particular. Posee glándulas bastante voluminosas que comunican con las fosas nasales por las cuales la sal es expulsada, en forma de finas gotas, complementando así el papel desempeñado por su sistema renal, el cual, en condiciones tan especiales, no podría asegurar completamente sus funciones.

Se ha emitido una hipótesis según la cual estas iguanas habrían tenido, en el origen, una existencia idéntica a las iguanas terrestres que habitan actualmente en las islas. Pero como se encuentran en competencia con una especie más poderosa en la tierra firme, se han acostumbrado progresivamente a alimentarse con algas de playas y han adoptado luego una existencia marina, asegurando de este modo la supervivencia de la especie.

Por lo tanto, la iguana de mar está ampliamente difundida en todas las islas del Archipiélago. Existen en ciertas islas, y especialmente en Fernandina, colonias muy numerosas.

Parientes bastante lejanos de las iguanas marinas, las iguanas terrestres de las islas Galápagos se distinguen fácilmente. De color amarillento, la iguana terrestre tiene una apariencia más maciza; su cola cilíndrica es más corta y no es comprimida lateralmente como la de la iguana marina. Vive en las rocas y los matorrales espinosos de las planicies costeñas. Pasa la noche escondida en las cuevas de las rocas, o en algún agujero que se fabrica ella misma. Es esencialmente vegetariana y consume plantas carnosas, hojas de árboles caídas, frutas y tallos carnosos de cactus y en particular "raquetas" de las Opuntia, cuyas largas espinas no parecen molestar su digestión.

La iguana terrestre vive solitaria o en pareja. Su comportamiento es evidentemente más agresivo que el de la iguana marina y no vacila en morder. Los machos se pelean a violentos mordiscos.

Los clasificadores distinguen dos especies de iguanas terrestres: el Conolophus subscristatus, que vive en las islas Fernandina, Isabela, Santa Cruz y Plaza, y el Conolophus pallidus, limitado a la isla Santa Fe, que difiere del precedente por su cresta más desarrollada y de un color más amarillo.

Durante la época en la cual Darwin visitó el Archipiélago, las iguanas terrestres eran tan numerosas en ciertas islas, que él cuenta haber tenido dificultades para poner su tienda de campaña, de tantos agujeros que habían hecho en el suelo.

Ultimamente, las iguanas terrestres de Santa Cruz, amenazadas de exterminio por los perros errantes, han sido reunidas en la Estación de Investigaciones Charles Darwin, donde se tiene la esperanza de que puedan reproducirse para poblar nuevamente la isla cuando los perros hayan sido eliminados.

Historique de la recherche scientifique dans l'archipel

Les premières observations scientifiques dans l'archipel furent effectuées en 1790, au cours du voyage autour du monde de la mission espagnole dirigée par le Capitaine Alessandro Malaspina.

En janvier 1825, les botanistes John Scouler, Henry Hauwell et David Douglas collectèrent des plantes sur l'île de San Salvador. A son tour, Hugh Cuming, à bord de la Discovery, ramassa plantes et coquillages en 1829.

Six ans plus tard, le H.M.S. Beagle, commandé par le Capitaine Robert Fitz-Roy, qui effectuait un tour du monde, jetait l'ancre dans les eaux de l'archipel. Il avait à son bord Charles Darwin. Les observations que Darwin put faire dans les îles Galapagos, du 15 Septembre au 20 Octobre 1835 allaient apporter des arguments décisifs à la théorie de l'évolution lorsqu'il publia quatre ans plus tard l'ouvrage resté fameux sur l'origine des espèces et la sélection naturelle. Cet ouvrage, qui bouleversait les idées de l'époque sur la genèse des flores et des faunes terrestres, signifiait, comme l'a écrit Julian Huxley, l'abandon du domaine féerique du Créationisme et l'accès au monde cohérent et compréhensible de la biologie moderne.

Charles Darwin remarqua tout d'abord que les îles Galapagos ressemblaient beaucoup aux îles du Cap Vert en ce qui concernait la géographie physique et notamment le climat, cependant la flore et la faune de ces deux archipels étaient totalement différentes. La flore et la faune des Galapagos ayant des affinités avec l'Amérique du Sud, celles du Cap Vert avec l'Afrique. Toutefois bien que ces flores et ces faunes insulaires fussent très similaires à celles des continents voisins, elles n'en étaient pas identiques, et bien des animaux et des plantes étaient particuliers à ces îles. En outre il fut très surpris de constater que, aux Galapagos, les espèces variaient d'une île à l'autre. La différence était minime entre les tortues ou les moqueurs, mais, plus nette entre les pinsons. Darwin admit donc que, pour ressembler à celles des continents voisins, les espèces insulaires devaient avoir des ancêtres communs, mais que, pour s'en différencier, elles avaient évolué isolément de génération en génération, alors que la consanguinité ne pouvait plus intervenir pour faire disparaître les différences. Ayant démontré les effets de l'évolution sur des espèces isolées par des "barrières" géographiques, telles que les océans, Darwin devait par la suite en démontrer les effets sur les espèces au cours des temps, en comparant notamment les espèces fossiles de tatous à celles qui vivent actuellement en Amérique du Sud.

Etant admis que les espèces évoluaient, il restait à démontrer pourquoi. Les oiseaux que Darwin avait récoltés aux Galapagos furent examinés par le célèbre ornithologue John Gould. Il apparut alors que tous les petits passereaux étudiés appartenaient à la même famille, celle des pinsons, et qu'ils se différenciaient entre eux avant tout par la forme de leur bec. Selon les principes de la sélection naturelle de Darwin, l'histoire des pinsons sur les îles Galapagos peut se retracer ainsi : alors que les Galapagos étaient dépourvues d'oiseaux, quelques couples de pinsons vinrent du continent. Etant granivores, ils consommèrent sur les îles les graines qui étaient leur nourriture habituelle. Devenant plus nombreux à chaque génération ils n'eurent plus assez de graines pour se nourrir et beaucoup moururent de faim, c'est alors que les pinsons ayant un bec plus robuste se mirent à manger des graines plus grosses et plus dures jusqu'alors délaissées; ceux qui avaient les becs les plus fins s'attaquèrent aux insectes. C'est ainsi que, de génération en génération, ils survécurent, adoptant des régimes alimentaires de plus en plus variés. De l'espèce qui s'établit à l'origine dans l'archipel, procèdent les treize espèces actuelles, qui chacune possèdent un régime distinct. La famille des pinsons joue dans l'archipel le rôle dévolu à plusieurs familles d'oiseaux sur le continent.

A la suite de Darwin, nombreux furent ceux qui vinrent étudier la flore et la faune des Galapagos:

En 1838 Abel Dupetit-Thouars, à bord de la Vénus, qui rapporta des plantes inédites au Museum d'histoire naturelle de Paris; en 1852, le zoologiste Himberg et le botaniste Anderson, qui publia la première étude scientifique sur la flore des îles Galapagos.

Puis vinrent Siméon Habel, qui collecta en 1868 des oiseaux, des insectes et des mollusques, Louis Agassiz et Franz Steindachner, en 1873, Teodoro Wolf et Georg Baur, qui effectuèrent des relevés géologiques, le premier en 1875 et 1878, le second en 1891.

L'expédition Webster-Harris étudia les tortues en 1891.

De Décembre 1898 à Juin 1899 Edmund Heller et Robert Snodgrass collectionnèrent des plantes et des reptiles.

En 1905 Rollo Beck captura des tortues pour la collection de W. Rothschild.

Sous la direction de l'Académie des Sciences de Californie fut organisée la plus importante expédition connue jusqu'alors : des spécialistes appartenant à diverses disciplines, zoologie, ornithologie, herpétologie, entomologie, botanique et géologie, séjournèrent dans l'archipel pendant un an, de Septembre 1905 à Septembre 1906.

En 1907 Van den Berghe révisa la classification des tortues éléphantines.

William Beebe, de 1923 à 1925, Wolleboek en 1924, Allan Hancock en 1928, effectuèrent diverses études dans l'archipel.

L'Académie des Sciences de Californie organisa une nouvelle expédition en 1932, le "Templeton-Crocker Expedition", au cours de laquelle de nombreux oiseaux, poissons, insectes, mollusques, fossiles et plantes, furent collectés.

Sous les auspices du "Galapagos International Scientific Project" et avec le concours de l'Académie des Sciences de Californie, une très importante expédition fut organisée en 1964, à laquelle participèrent soixante chercheurs.

L'intérêt que n'ont pas cessé de manifester les naturalistes du monde entier pour les îles Galapagos, ne s'explique pas uniquement par le fait que Darwin a conçu sa théorie sur l'origine des espèces, d'après les observations qu'il avait effectuées sur ces îles, ni même, parce que la flore et la faune y sont particulièrement riches; bien au contraire la flore et la faune des Galapagos sont précisément très pauvres, surtout si on les compare à celles du continent voisin.

Leur intérêt provient de ce que, étant isolées du continent depuis toujours, ces flores et ces faunes en sont très différentes et qu'un grand nombre d'espèces qui les composent y sont endémiques. Sur les 702 espèces que renferme la Flore des îles Galapagos, publiée en 1971 par Wiggins et Porter, 228 espèces sont endémiques, soit 32,5 % des espèces appartenant à cette flore, ce qui est considérable. Les genres Scalesia, qui comprend 11 espèces et Lecocarpus, qui en comporte 3, sont particuliers aux îles, comme d'ailleurs tous les cactus des Galapagos. En ce qui concerne les oiseaux, la proportion d'endémiques est encore plus forte, sur les 57 espèces qui résident dans l'archipel, 28 sont endémiques.

De plus la pauvreté de la faune des îles a permis à certaines espèces très archaïques, telles que les tortues géantes, de se maintenir, alors que ces reptiles n'ont pu survivre sur les continents, ayant été soumis à la concurrence d'animaux plus évolués contre lesquels ils ne purent lutter.

Mais ce qui a le plus contribué à éveiller la curiosité des naturalistes c'est sans doute que, comme l'a écrit Jean Dorst "là, le biologiste se trouve dans la situation d'un chimiste n'ayant mélangé que quelques éléments de ses éprouvettes et pouvant, de ce fait, étudier aisément la réaction de chacun; sur ces îles, la trame de l'histoire évolutionnaire et la différenciation des formes deviennent manifestes".

LA FLORE

Si le plus souvent la flore des îles Galapagos, comparée à la faune, n'attire que peu l'attention des visiteurs, elle n'est pas moins aussi intéressante que cette dernière. Les nombreuses espèces endémiques auraient pu se prêter aux mêmes spéculations sur les origines de la vie dans l'archipel que les espèces animales qui en furent l'objet.

Certes, les plantes des îles Galapagos n'ont habituellement que des fleurs très modestes car les insectes pollinisateurs étant rares, si l'on excepte le bourdon de Darwin (Xylocopa darwini), il est indifférent que les végétaux se parent ou non de fleurs remarquables, la pollinisation n'étant pas facilitée pour autant. Une exception à cela, la Cordia lutea porte de belles fleurs jaunes, mais il doit s'agir d'une espèce arrivée tardivement dans l'archipel, car elle se retrouve identique sur les côtes du continent. Par contre les deux autres espèces de Cordia endémiques, ayant donc colonisé l'archipel à une période très reculée, ont des fleurs insignifiantes.

Sur les rivages des baies les plus abritées du courant froid de Humboldt, croît la mangrove. Les palétuviers, Rhizophora et Avicennìa, plongent leurs multiples racines aériennes dans l'eau salée.

Mais les plantes les plus remarquables de l'archipel, celles qui s'imposent aussitôt à la vue du voyageur qui débarque, sont les cactus. Sur toutes les îles de l'archipel croissent des figuiers de Barbarie, grandes Opuntia dont les segments des tiges extrêmement épineuses, sont aplatis en forme de raquette. Les six espèces d'Opuntia des Galapagos sont toutes endémiques. Quelques unes ont l'aspect d'un buisson, comme les nombreuses espèces du même genre qui croissent sur le continent américain, mais d'autres, aux Galapagos, ont un tronc élevé, parfois très épineux, parfois lisse et de couleur brun rouge. Les Opuntia echios, qui sont nombreuses autour de Puerto Ayora, sur l'île de Santa Cruz, peuvent atteindre une hauteur de douze mètres. Très caractéristique aussi des plaines côtières arides, le Jasminocereus thouarsii est un grand cactus dont le port élancé rappelle un gigantesque candélabre. Leurs fruits, comme ceux des Opuntia, sont agréables à croquer. Moins visible, le Brachycereus nesioticus érige, parmi les coulées de lave, ses courtes tiges cylindriques, dissimulées sous de longs aiguillons dorés. Les Brachycereus sont, avec les Coldenia et les Chamaesyce, petites plantes endémiques d'un aspect très modeste, les premiers végétaux qui colonisent les laves et les cendres.

Dans la zone littorale, outre les cactus, la végétation se compose de maigres buissons souvent épineux appartenant aux genres Acacia, Parkinsonea, Maytenus, Castela, Scutia, entre autres; les plantes basses, héliotropes, Alternanthera, Lantana, cypéracées et graminées abondent.

En fin de saison sèche, les Sesuvium, plantes grasses et rampantes, prennent une belle couleur rouge. L'effet est particulièrement saisissant sur l'île de Plaza que les Sesuvium edmonstonei recouvrent d'un manteau d'un rouge éclatant.

L'arbre le plus abondant sur les îles et sans doute l'un des plus grands, est le "Palo santo" (Bursera graveolens), qui tout au long de la saison sèche, dresse ses branches grises dépourvues de feuilles, tel un épouvantail. Le nom qui lui a été attribué par les espagnols provient de l'odeur aromatique de son bois lorsqu'il est fraîchement coupé.

Sur les flancs des montagnes des îles les plus grandes, une végétation plus abondante succède à celle, très pauvre, des plaines côtières. Déjà, vers cent mètres d'altitude la différence est appréciable, la végétation est plus dense, plus verte, les arbres plus hauts et plus touffus, leurs branches portent en grand nombre des lichens argentés qui s'agitent au gré des vents comme des draperies. Les premières fougères se dissimulent dans les anfractuosités des rochers, à l'ombre des sous-bois.

A cette altitude, dans l'île de Santa Cruz, les "Pega pega" (Pisonia floribunda) sont très nombreux et caractérisent bien cette zone de végétation qui fait la transition entre les zones côtières arides, où ne croissent que des plantes xérophiles et la zone dite "des Scalesia", qui commence vers 200 mètres au-dessus du niveau de la mer.

A cette altitude, les précipitations sont plus abondantes, de l'ordre d'un mètre par an. Une humidité plus forte et un sol plus riche en humus, ont permis à la forêt de se développer.

Les Scalesia forment ici de denses bosquets, leur taille est plus élevée, atteignant une dizaine de mètres.

Dans la pénombre des sous-bois croissent des champignons et de nombreuses fougères, des lianes s'agrippent aux branches des arbres à la recherche de la lumière. C'est le domaine de la passiflore (Passiflora suberosa) et des épiphytes qui ont élu domicile sur les branches les plus hautes des arbres, lichens, orchidées (Epidendrum spicatum), broméliacées (Tillandsia insularis).

Plus haut encore, entre 400 et 500 mètres, à l'approche des sommets, les forêts de Scalesia cèdent la place aux buissons d'un vert violacé des Miconia, genre endémique de l'archipel. A leurs pieds les fougères et les lycopodes abondent. De place en place s'étendent de vastes tapis de graminées.

Au-delà, sur les sommets des montagnes les plus élevées, ne croissent plus que des fougères et des graminées. C'est sur les flancs des cratères les plus humides de l'île de Santa Cruz que l'on peut voir la merveilleuse fougère arborescente des Galapagos (Cyathea weatherbyana), dont la taille peut excéder trois mètres.

LA FAUNE

Les iguanes

Les côtes basses, formées d'amoncellements chaotiques de blocs de lave noire sont animées par une multitude de crabes d'un rouge éclatant, ponctué de bleu pastel sous les yeux. Ils se déplacent avec vélocité sur les rochers, avançant et reculant au gré des vagues qui se brisent en grondant.

A l'écart des embruns, mais non loin des flots, les animaux les plus étranges de l'archipel se rassemblent en groupes compacts : les iguanes marins (Amblyrhynchus cristatus), dont l'aspect évoque un monstre de la préhistoire ou un dragon de la mythologie. Le dos surmonté d'une crête dentelée et armé de puissantes griffes, l'iguane de mer est le plus généralement de couleur sombre, presque noire, comme les roches qui l'entourent, si ce n'est dans l'île d'Española où il est joliment marbré de rouge et d'orangé tout au long de l'année.

Sur les autres îles, lors de la période de reproduction, les mâles ont des couleurs plus vives et leur avant-corps se parsème de taches jaunes, rouges ou vertes.

De taille relativement importante puisque les adultes peuvent dépasser un mètre vingt de long, l'iguane marin est un animal aux mœurs paisibles, totalement inoffensif pour l'homme. Il ne présente une certaine agressivité que lors de la période de reproduction, en Décembre et Janvier, époque à laquelle les mâles se livrent des simulacres de combat pour défendre leur petit territoire, si restreint qu'un iguane peut élire domicile sur le sommet d'une grosse pierre et un autre choisir le pied du même bloc. Par la suite, les femelles creusent le sable des plages ou la terre meuble des berges pour y déposer deux ou trois œufs qui éclosent au mois de Mai.

L'iguane marin présente un intérêt particulier pour les biologistes, car c'est actuellement le seul saurien du monde qui se soit adapté à la vie marine. Il nage avec facilité, les membres collés au corps, agitant latéralement sa longue queue pour se propulser. Lorsque la mer est basse, il va rechercher sur les rochers les algues dont il se nourrit. Subissant de grandes variations de température, inhabituelles pour un reptile, lorsqu'il plonge des rochers surchauffés des plages dans l'eau froide de la mer, il lui est nécessaire de retarder son refroidissement, tout en restant actif pour pouvoir se nourrir et échapper à des ennemis éventuels, tels que les requins. De plus il lui faut se réchauffer le plus rapidement possible lorsqu'il regagne la plage. A cela il parvient en modifiant son rythme cardiaque. En effet on a constaté en laboratoire que ce reptile perdait sa chaleur environ moitié moins vite qu'il ne la regagnait lorsque la température du milieu ambiant était abaissée ou relevée d'un nombre égal de degrés.

De même l'iguane de mer élimine l'excès de sel qu'il absorbe avec l'eau de mer et les algues fortement salées qui constituent sa nourriture, par un mécanisme physiologique particulier. Il possède des glandes assez volumineuses qui communiquent avec les fosses nasales par lesquelles le sel est expulsé, sous forme de fines gouttelettes, complétant ainsi le rôle de son système rhénal, qui, dans des conditions aussi spéciales, ne pourrait assurer complètement ses fonctions.

On a émis l'hypothèse selon laquelle ces iguanes auraient mené, à l'origine, une existence identique à celle des iguanes terrestres qui habitent actuellement ces îles. Mais étant en concurrence avec une espèce plus puissante sur la terre ferme, ils se seraient progressivement accoutumés à se nourrir des algues des plages et auraient adopté par la suite une existence marine, assurant ainsi la survie de l'espèce.

De fait l'iguane de mer est actuellement largement répandu sur toutes les îles de l'archipel. Il existe même sur certaines îles, et notamment sur Fernandina, des colonies fort nombreuses.

Parents assez éloignés des iguanes marins, les iguanes terrestres des îles Galapagos s'en distinguent aisément. De couleur jaunâtre, plus ou moins vif, souvent tacheté de brun rougeâtre, l'iguane terrestre a une apparence plus massive, sa queue cylindrique est plus courte et non comprimée latéralement comme celle de l'iguane marin.

Cet iguane élit domicile parmi les rochers et les buissons épineux des plaines côtières. Il passe la nuit dissimulé dans les crevasses des rochers ou dans un trou qu'il creuse lui-même. Il est essentiellement végétarien et consomme les plantes grasses, les feuilles des arbres tombées à terre, les fruits et les tiges charnues des cactus et en particulier les "raquettes" des Opuntia, dont les longues épines ne semblent pas troubler sa digestion.

L'iguane terrestre vit solitaire ou par couple. Son comportement est nettement plus agressif que celui de l'iguane marin et il n'hésite pas à mordre. Les mâles se livrent des combats acharnés et s'infligent de sérieuses morsures.

Les systématiciens distinguent deux espèces d'iguanes terrestres : le Conolophus subcristatus, qui habite les îles de Fernandina, Isabela, Santa Cruz et Plaza, et le Conolophus pallidus restreint à l'île de Santa Fé et qui diffère du précédent par une crête plus développée et une couleur plus jaune.

A l'époque où Darwin visita l'archipel, les iguanes terrestres étaient si nombreux sur certaines îles, qu'il dit avoir eu des difficultés à planter sa tente tellement le sol était bouleversé par leurs trous.

Dernièrement, les iguanes terrestres de Santa Cruz, qui étaient menacés d'extermination par les chiens errants, ont été rassemblés à la station de recherches Charles Darwin, où l'on espère pouvoir les faire reproduire afin de repeupler cette île lorsque les chiens auront été éliminés.

History of Scientific Research in the Archipelago

The first scientific observations in the Archipelago were carried out in 1790 during the world voyage of the Spanish expedition commanded by Captain Alessandro Malaspina.

In 1825 the botanists John Scouler, Henry Hanwell and David Douglas collected plant specimens on the island of San Salvador, and in 1829 Hugh Cummings on board the Discovery collected further specimens of plants and shell fish.

Six years later, H.M.S. Beagle commanded by Captain Robert Fitzroy dropped anchor in the waters of the Archipelago on its way round the world. On board the ship was Charles Darwin. The observations which Darwin made in the Galapagos Islands between 15 September and 20 October 1835 were to support his decisive arguments in favour of the Theory of Evolution when he published, four years later, his famous work on the Origin of Species and Natural Selection. This work, which overthrew accepted ideas regarding the genesis of terrestrial fauna and flora, signified, as Julian Huxley said, the end of the fairy story of Creationism and the beginning of the coherent, comprehensible world of modern biology.

Charles Darwin noticed first of all that the Galapagos Islands very much resembled the Cap Verde Islands as regards physical geography, and particularly climate, and yet the fauna and flora of the two groups of islands were totally different. The fauna and flora of the Galapagos were related to those of South America, whereas those of Cap Verde resembled those of Africa. And yet, although there were considerable resemblances between the insular life and that of the neighbouring continent in each case, they were not identical, and many animals and plants were peculiar to the islands. Moreover, he was astonished to discover that, in the Galapagos, the species varied from one island to another. The differences as regards tortoises and mocking birds were slight but were more marked in the case of finches. Darwin assumed that the island species resembled those of the mainland sufficiently to have had common ancestors but that, in order to have differentiated so much from them, they must have evolved separately from one generation to another, so that the relationship of a common ancestry no longer eliminated the differences which arose after the species separated. Having demonstrated the effects of evolution on species isolated by natural barriers such as oceans, Darwin proceeded to show what were the effects on species over a period of time, in particular by a comparison between the fossilized species of armadillo and those at present living in South America.

Having shown that species did evolve, it remained to explain why. The birds Darwin had collected in the Galapagos were examined by the renowned ornithologist John Gould. It then appeared that all the small sparrows belonged to the same family, that of the finches, and that the chief difference among them was the shape of the bill. According to Darwin's theory of natural selection, the history of the finches on the Galapagos Islands can be resumed as follows: at a time when the Galapagos Islands had no bird population, a few finches came from the mainland. Being seed-eaters, they ate on the islands the seeds which had been their usual food. As they multiplied with succeeding generations, a scarcity of seeds occurred and many of them died of hunger. Then it was that the finches which had stronger bills began to eat the larger and harder seeds which they had previously neglected, while those with the smaller bills began to eat insects. Thus, from one generation to another, they survived by adopting increasingly varied feeding habits. From the single species which had originally settled in the islands, thirteen different species issued, each of which has its peculiar feeding habits. The family of finches living in the Archipelago plays the parts which have been inherited by several distinct families of birds on the mainland.

After Darwin many people came to study the fauna and flora of the Galapagos.

In 1838, Abel Dupetit-Thouars on board the Venus made a collection of hitherto unknown plants which he took to the Paris Natural History Museum. In 1852, the zoologist Himberg and the botanist Anderson came; the latter published the first scientific study on the flora of the Galapagos Islands.

Then came Simeon Habel, who collected birds, insects and molluscs in 1868, Louis Agassiz and Franz Steindachner in 1873, and Teodoro Wolf and Georg Baur who carried out geological surveys, the first in 1875 and the second in 1891.

The Webster-Harris expedition made a study of tortoises in 1891.

From December 1898 to June 1899, Edmond Heller and Robert Snodgrass collected plants and reptiles.

In 1905 Rollo Beck collected tortoises for the W. Rothschild collection. Under the auspices of the California Academy of Sciences, the largest expedition hitherto, grouping specialists from various disciplines - zoology, ornithology, herpetology, entomology, botany and geology - stayed on the Archipelago for a year, from September 1905 to September 1906.

In 1907 Van der Berghe carried out a revision of the classification of elephant tortoises.

Various research projects were undertaken on the Archipelago, by William Beebe from 1923 to 1925, Wolleboek in 1924 and Allen Hancock in 1928.

The California Academy of Sciences organized a further expedition in 1932 - the "Templeton-Crocker Expedition" - during which numerous specimens of birds, fishes, insects, molluscs, fossils and plants were collected.

Under the auspices of the Galapagos International Scientific Project and with the assistance of the California Academy of Sciences, a very extensive expedition in which sixty scientists participated was organized in 1964.

The interest which naturalists throughout the world have displayed in the Galapagos Islands is not merely due to the fact that Darwin worked out his theory of the Origin of Species on the grounds of observations he had carried out there nor even because the fauna and flora of the islands are particularly rich (on the contrary, they are very poor, particularly if compared with those of the neighbouring mainland).

The interest derives from the fact that the fauna and flora, having been permanently isolated from those of the mainland, are very different from them and that a number of species are endemic. Out of the 704 species included in the Flora of the Galapagos Islands published in 1971 by Wiggins and Porter, 228 species are endemic, making 32.5% of them, which is considerable. The genus Scalesia, which includes 11 species, and Lecocarpus, which includes 3, are peculiar to the Islands, as incidentally are all the Galapagos cactuses. Where the birds are concerned, the proportion of endemic species is even greater. Out of the 57 species inhabiting the Archipelago, 28 are endemic to it.

Moreover, the poverty of the fauna of the Islands has enabled certain very ancient species such as the giant tortoises to survive, which they have been unable to do on the mainland, where they were subjected to competition from more highly developed animals against which they were unable to fight.

But undoubtedly what has done more than anything else to arouse the curiosity of the naturalists is the fact that, as Jean Dorst writes: "There the biologist is in the situation of a chemist who, having mixed only a few elements in his test tubes, can easily study the reaction of each; on these islands, the warp of evolutionary history and the differentiation of forms become evident".

THE FLORA

While the flora of the Galapagos Islands, as compared with the fauna, attracts the visitor's attention to a lesser degree, it is by no means less interesting. The numerous endemic species could have given ground for the same speculations regarding the origins of life in the Archipelago as did the animal ones.

To be sure, the plants which grow on the Galapagos Islands usually have but modest flowers; pollenizing insects being so rare (except for the Darwin bumble bee - Xylocopa Darwini), it matters little whether the vegetation bears attractive flowers or not, since this is no help with pollenization. An exception to this is the Cordia lutea, which bears pretty yellow flowers, but this must be a species which arrived in the Archipelago more recently, since the identical plant is to be found on the coasts of the mainland. On the other hand, two other endemic species of Cordia, which must therefore have come to the Archipelago at a much more remote period, have insignicant flowers.

On the shores of the bays which are best sheltered from the Humboldt cold current grows the mangrove. Two species, the Rhizophora and the Avicennia, plunge their aerial roots into the salty water of the marshes.

But the most remarkable plants of the Archipelago, and the ones which immediately attract the notice of the traveller when he lands, are the cactuses. Prickly pears grow on all the islands of the Archipelago. There are the huge Opuntias with their extremely prickly branches flattened into the shape of tennis rackets. The six species of Opuntia on Galapagos are all endemic. Some of them look like bushes as do the numerous species of the same genus which grow on the American mainland, but others have a tall trunk, sometimes prickly but sometimes smooth and of a reddish brown colour. The Opuntia echios, of which there are many around Puerto Ayora on the Island of Santa Cruz, may reach a height of as much as twelve metres (40 feet). The Jasminocereus thouarsii, which is also characteristic of the arid coastal plains, is a large cactus with a graceful shape reminiscent of a giant chandelier and its fruit, like that of the Opuntia, is very agreeable. The Brachycereus nesioticus, which is less evident, raises its short cylindrical branches, half-hidden by long, golden needles, among the blocks of lava. The Brachycereus, with the Coldenia and the Chamaesyce, small endemic plants of a very modest appearance, are the first plants to settle on lava and ashes.

Apart from cactuses, the coastline's vegetation consists of thin, often prickly, bushes belonging to genera such as Acacia, Parkinsonia, Maytenus, Castela, and Scutia. Low plants such as Alternanthera, Lantana, Heliotrope, Graminaceae and Cyperaceae abound.

At the end of the dry season, the Sesuvium, a succulent, creeping plant, assumes a fine red colour. The effect is particularly striking on the Island of Plaza, which is covered by a dazzling red cloak of Sesuvium edmonstonei.

The most abundant tree on the Islands and undoubtedly one of the tallest is the "Palo santo" (Bursera graveolens) which, throughout the dry season, raises its bare grey branches to the sky like a scarecrow. The name given to it by the Spanish is derived from the aromatic smell of its wood when freshly cut.

On the flanks of the mountains on the largest islands, a more abundant vegetation takes the place of the very poor one of the coastal plains. There is an appreciable difference at a height of as little as 300 feet. The vegetation is denser, there is more greenery, the trees are taller and more filled out, and their branches bear a variety of silvery lichens which rustle in the wind like cloth. The first ferns begin to peep out from the cracks in the rocks in the shade of the underwood.

At this altitude in Santa Cruz Island, "Pega pega" (Pisonia floribunda) is widespread and is characteristic of this zone of vegetation, which is transitional between the arid coastal zone, where only xerophilous plants grow, and the "Scalesia" zone, which begins at about 700 feet above sea level.

At this altitude, there is more abundant rainfall (about 40 inches a year). With greater humidity and a soil richer in humus, the forest has succeeded in developing.

Here there are dense copses of Scalesia, which are much taller, reaching as much as thirty feet.

In the shade of the underwood grow mushrooms and many species of fern, while the lianas cling to the branches in search of light. This is the kingdom of the passion flower (Passiflora suberosa) and of the epiphytes which have taken up residence in the topmost branches of the trees, lichens, orchids (Epidendrum spicatum) and the Bromeliaceae (Tillandsia insularis).

Higher up at altitudes of between 1300 and 1800 feet, near the peaks, the forests of Scalesia give way to the bushes of a mauvish green, known as Miconia - a genus endemic to the Archipelago. At their feet are abundant ferns and lycopods. Here and there are huge carpets of graminaceae.

Above, on the peaks of the highest mountains, only ferns and graminaceae grow. On the slopes of the moister craters of the Island of Santa Cruz can be seen the wonderful tree fern of Galapagos (Cyathea weatherbyana), which sometimes grows to a height of over ten feet.

THE FAUNA

The iguanas

The low-lying coasts formed of heaped up blocks of black lava are infested by a multitude of brilliant red crabs, with patches of pastel blue under the eyes. They move very quickly about advancing and retreating with the waves which break tumultuously against the rocks.

Out of reach of the spray but not far from the waves, the most strange animals of the Archipelago collect into compact groups - the marine iguana (Amblyrhynchus cristatus), which looks like a prehistoric monster or a mythological dragon. His back has a toothed crest and he is provided with powerful claws. He is usually dark-coloured, almost black like the surrounding rocks, except that on Española Island he is beautifully speckled with red and orange spots throughout the year.

On the other island, the males are more strikingly coloured during the breeding season and their bellies are beautifully covered with red, yellow or green spots.

They are comparatively large, and adults are often over five feet long; yet the sea iguana is an inoffensive animal which is not aggressive towards man, except to some extent during the breeding season (December and January), when the males fight for their territories, which are so restricted that one may well take up residence on the top of a large stone, while another installs himself at the foot of it. Subsequently, the females dig a hole in the sand of the beach or the loose earth of the banks to lay their two or three eggs which hatch out in May.

The marina iguana is of particular interest for biologists, being now the only saurian in the world which can adapt itself to sea life. He swims easily with his limbs close against his body, waving his long tail from side to side as a means of propulsion. When the tide goes out, he goes off to the boulders in search of the seaweed which is his staple food. He is subjected to considerable changes of temperature, which are unusual for a reptile, when he dives from the overheated rocks on the beach into the cold sea water, and it is necessary for him to delay his cooling off, remaining active so that he can feed and ward off any enemies such as sharks. Moreover, he has to get warm again as quickly as possible when he returns to the beach. He does this by changing the rate of his pulse, for it has been discovered as a result of laboratory experiments that this reptile loses his heat about half as quickly as he recuperates it again when the ambient temperature is lowered or raised by an equal number of degrees.

In the same way, the marine iguana eliminates the excess salt he absorbs with the sea water and the very salty seaweed on which he feeds by means of a highly specialized physiological mechanism. He has high-capacity glands which communicate with the nasal fossae, through which the salt is ejected in the form of a fine spray, thus supplementing the task of the kidneys, which could not otherwise function under such abnormal conditions.

A theory has been advanced that these iguanas originally had an existence identical with that of the land iguanas which now live in the islands but that, being in competition with a more powerful species on terra firma, they became gradually accustomed to eating seaweed and subsequently adopted a marine life so as to ensure the survival of the species.

In fact, the marine iguana is now widespread throughout all the islands of the Archipelago. There are even very numerous colonies of them, particularly on Fernandina.

The land iguanas of the Galapagos Islands, which are distantly related to these marine iguanas, can easily be distinguished from them. They are a more or less bright yellow in colour, sometimes a reddish brown, and look more bulky. The cylindrical tail is shorter and not squeezed in from the sides like that of the marine iguana.

The iguana takes up residence among the rocks and the prickly bushes of the coastal plains. He spends the night hiding in cracks in the rocks or in a hole which he digs himself. He is essentially vegetarian and eats succulents the fallen leaves of trees, the fruit and succulent branches of the cactus and, above all, the racket-shaped branches of the Opuntia, whose long thorns do not appear to trouble his digestive system.

The land iguana lives alone or in pairs. His attitude is distinctly more aggressive than that of the marine iguana, and he does not hesitate to bite. The males engage in furious battles and inflict serious wounds on one another.

Zoologists distinguish between two species of land iguana - the Conolophus subcristatus which inhabits the islands of Fernandina, Isabela, Santa Cruz and Plaza, and the Conolophus pallidus which is confined to the island of Santa Fé and which differs from the other by a more highly developed crest and a more yellowish colour.

At the time when Darwin visited the Archipelago, there were so many iguana on some of the islands that he said he had difficulty in putting up his tent, the soil was so uneven on account of their holes.

Recently, the land iguanas of Santa Cruz, which were threatened with extinction on account of stray dogs, have been concentrated in the Charles Darwin Research Station, where it is hoped they will reproduce so as to repopulate this island, once the dogs have been eliminated.

Überblick über die wissenschaftliche Forschung im Archipel

Die ersten wissenschaftlichen Beobachtungen im Archipel begannen im Jahre 1790 und zwar, während der Weltreise der spanischen Mission, angeführt von Kapitän Alessandro Malaspina.

Im Jahre 1825 sammelten die Botaniker John Scouler, Henry Hauwell und David Douglas Pflanzen auf der Insel San Salvador. Auch Hugh Cuming, der auf der "Discovery" gekommen war, sammelte Pflanzen und Muscheln im Jahre 1829.

Sechs Jahre später ging die "Beagle" (H.M.S.), auf Weltreise unter Kapitän Robert Fitz-Roy, in den Wassern des Archipels vor Anker. An Bord befand sich Charles Darwin. Die Beobachtungen, die Darwin auf den Galapagosinseln vom 15. September bis zum 20. Oktober 1835 vornehmen konnte, brachten entscheidende Argumente für die Entwicklungstheorie, die er vier Jahre später in dem auch heute noch berühmten Werk über den Ursprung der Arten und die natürliche Selektion veröffentlichte. Dieses Werk, das die Ideen der Epoche vom Entstehen der Tier- und Pflanzenwelt revolutionierte, bedeutete - wie Julian Huxley schrieb - den Verzicht auf eine Märchenwelt und den Eintritt in die zusammenhängende und verständliche Welt der modernen Biologie.

Charles Darwin bemerkte zunächst, dass die Galapagosinseln sehr stark den Kapverdischen Inseln ähnelten, besonders was die natürliche Geographie und insbesonders das Klima anbetraf, obwohl Flora und Fauna dieser beiden Archipels vollkommen verschieden sind. Flora und Fauna der Galapagos weisen Affinitäten mit Südamerika auf, die der Kapverdischen Inseln dagegen mit Afrika. Diese Inselfloren und Faunen glichen zwar ziemlich stark denen der benachbarten Kontinente, ohne jedoch mit ihnen identisch zu sein; denn zahlreiche Tiere und Pflanzen waren nur auf den Inseln zu finden. Er stellte ebenfalls mit Überraschung fest, dass auf den Galapagos die Arten je nach den Inseln variierten. Die Unterschiede zwischen den jeweiligen Schildkröten und Spottdrosseln waren nur gering, aber schon stärker ausgeprägt zwischen Finken. Darwin sagte sich also, dass die Inselgattungen, da sie den Gattungen auf den benachbarten Kontinenten ähnelten, wohl gemeinsame Vorfahren haben müssten. Da sie sich jedoch von diesen unterschieden, müssten sie wohl isoliert worden sein und sich dann von Generation zu Generation weiterentwickelt haben, wobei jedoch nicht alle Merkmale ihrer Blutsverwandtschaft zum Verschwinden gekommen waren. Nachdem Darwin die Auswirkungen geographischer Schranken (wie Z.B. Meere) auf die Entwicklung isolierter Gattungen nachgewiesen hatte, machte er sich in der Folge daran, die Wirkungen auf die Gattungen im Laufe der Zeit nachzuweisen; zu diesem Zweck verglich er Fossilien von Gürteltieren mit den heute noch in Südamerika existierenden Spezies dieser Tiere.

Angenommen, dass sich die Arten weiterentwickelten, so blieb nur noch zu erforschen aus welchem Grunde. Die Vögel, die Darwin von den Galapagos mitgebracht hatte, wurden von dem berühmten Ornithologen John Gould untersucht. Es wurde dabei festgestellt, dass alle untersuchten Sperlingsvögel der gleichen Familie angehörten, nämlich der der Finken, und dass sie sich voneinander vor allem durch ihre Schnabelform unterschieden. Gemäss den Prinzipien der Darwinschen Selektionstheorie kann man die Geschichte der Finken auf den Galapagosinseln folgendermassen nachzeichnen: als es auf den Galapagos überhaupt noch keine Vögel gab, kamen einige Finkenpaare vom Kontinent herübergeflogen. Da sie Kornfresser waren, verzehrten sie auf den Inseln die Körner, die ihre natürliche Nahrung bildeten. Da sie mit jeder Generation zahlreicher wurden, hatten sie bald nicht mehr genügend Körner, sodass viele von ihnen verhungerten. Da begannen die Finken mit robusterem Schnabel, dickere und härtere Körner zu fressen, die sie bisher nicht angerührt hatten. Die Finken mit feinerem Schnabel gingen den Insekten zu Leibe. So überlebte eine Generation nach der anderen, indem sie eine immer abwechslungsreichere Nahrung zu sich nahm. Von der einen Art, die sich anfänglich im Archipel niederliess, stammen die dreizehn, jetzt existierenden Arten ab, von denen jede sich auf verschiedene Weise ernährt. Die Familie der Finken übernimmt im Archipel die Rolle, die auf dem Kontinent mehreren Vogelfamilien zufällt.

Nach Darwin kamen zahlreiche Wissenschaftler auf die Galapagos, um dort Flora und Fauna zu erforschen.

Im Jahre 1838, Abel Dupetit-Thoaurs, an Bord der "Venus"; er brachte unbekannte Pflanzen mit, die er dem "Musée d'Histoire Naturelle" in Paris vermachte. Im Jahre 1852, der Tierforscher Himberg und der Botaniker Anderson, der die erste wissenschaftliche Untersuchung über die Flora der Galapagosinseln veröffentlichte.

Dann kamen Siméon Habel, der im Jahre 1868 Vögel, Insekten und Weichtiere sammelte; Louis Agassiz und Franz Steindachner, im Jahre 1873; Theodor Wolf und Georg Baur, die geologische Vermessungen vornahmen, der erstere in den Jahren 1875 und 1878, der zweite im Jahre 1891.

Die Expedition Webster-Harris studierte im Jahre 1891 die Schildkröten.

Von Dezember 1898 bis Juni 1899 sammelten Edmund Heller und Robert Snodgrass Pflanzen und Reptilien.

Im Jahre 1905 fing Rollo Beck Schildkröten für die Sammlung von W. Rothschild.

Unter der Leitung der Kalifornischen Akademie der Wissenschaften wurde die bedeutendste bisher bekannte Expedition organisiert: Spezialisten aller wissenschaftlichen Sparten: Zoologen, Ornithologen, Herpetologen, Botaniker und Geologen verweilten ein Jahr lang von September 1905 bis September 1906 auf dem Archipel.

Im Jahre 1907 revidierte Van den Berghe die Klassifizierung der Riesenschildkröten.

In den Jahren 1923 bis 1925 unternahm William Beebe, im Jahre 1924 Wolleboek, und 1928 Allan Hancock verschiedene Forschungen im Archipel.

Im Jahre 1932 organisierte die Kalifornische Akademie der Wissenschaften eine neue Expedition: die "Templeton-Crocker Expedition", in deren Verlauf zahlreiche Vögel, Fische, Insekten, Weichtiere, Fossilien und Pflanzen gesammelt wurden.

Unter den Auspizien des "Galapagos International Scientific Project" und unter Mitwirkung der Kalifornischen Akademie der Wissenschaften, wurde im Jahre 1964 eine bedeutende Expedition organisiert, an der sechzig Forscher teilnahmen.

Das ständige Interesse, das die Naturwissenschaftler der ganzen Welt für die Galapagosinseln gezeigt haben, erklärt sich nicht nur dadurch, dass Darwin seine Theorie über die Entstehung der Arten nach den auf diesen Inseln gemachten Beobachtungen aufstellte; denn die Flora und die Fauna sind dort nicht einmal besonders reichhaltig; verglichen mit denen des benachbarten Kontinents eher kümmerlich.

Das Interesse erklärt sich zum einen daraus, dass sich diese Floren und Faunen auf Grund ihrer ununterbrochenen Isolation sehr von denen des Kontinents unterscheiden, und zum anderen durch die Tatsache, dass eine grosse Anzahl der dort vorkommenden Gattungen nur dort heimisch sind. Von den 702 Arten, die die Flora der Galapagosinseln umfasst - und die Wiggins und Porter im Jahre 1971 veröffentlichten - kommen 228 Arten nur dort vor, d.h. 32,5 % der zu dieser Flora gehörenden Arten, was schon sehr beträchtlich ist. Die Scalesiagruppen, die elf Arten umfassen, und die Lecocarpus, die drei davon enthalten, findet man nur auf diesen Inseln, wie übrigens auch alle Kakteenarten der Galapagos. Was die Vögel anbetrifft, so ist die Proportion der nur dort heimischen noch stärker: von den 57 Arten, die im Archipel vorkommen sind 28 ausschliesslich dort zu finden.

Übrigens hat es die spärliche Fauna der Inseln gewissen, sehr archaischen Arten - wie z.B. den Riesenschildkröten - ermöglicht, sich dort zu behaupten; auf den Kontinenten konnten diese Reptilien nicht überleben, da sie es dort mit höherentwickelten Tieren zu tun hatten, gegen die sie nicht ankämpfen konnten.

Aber was am meisten dazu beitrug, die Neugierde der Naturwissenschaftler zu erwecken, ist zweifelsohne die Tatsache, dass dort, wie der Biologist Jean Dorst schrieb "der Biologist sich in der gleichen Lage befindet wie der Chemiker, der dadurch, dass er nur einige Elemente in seinen Reagenzgläsern vermischt hat, mit Leichtigkeit die Reaktion eines jeden studieren kann; auf diesen Inseln werden das Gespinst der Entwicklungsgeschichte und die Differenzierung der Formen sichtbar".

DIE FLORA

Wenn auch die Flora der Galapagosinseln weniger Interesse bei den Besuchern erweckt als ihre Fauna, so ist sie deshalb nicht weniger interessant. Die zahlreichen, nur dort anzutreffenden Arten hätten genauso gut zu den Spekulationen über den Ursprung des Lebens im Archipel dienen können wie die Tiergattungen, die zu diesem Zweck studiert wurden.

Zwar treiben die Pflanzen der Galapagosinseln gewöhnlich nur sehr bescheidene Blüten, da die zur Verbreitung des Pollens notwendigen Insekten selten sind, von der Darwinschen Hummel (Xylocopa darwini) abgesehen. Aber ob die Pflanzen prächtige Blüten tragen oder nicht, ihre Befruchtung wird dadurch keineswegs beeinflusst. Eine Ausnahme: die "Cordia lutea" trägt schöne gelbe Blüten, doch handelt es sich da wohl um eine erst später auf den Archipel gelangte Art, denn man findet die gleiche Pflanze auch an den Küsten des Festlands. Dagegen tragen zwei andere, dort heimische Arten der "Cordia", die schon seit sehr langer Zeit auf den Inseln vorzufinden ist, nur ganz unscheinbare Blüten.

An den Ufern der Buchten, die vor dem kalten Humboldtstrom besonders geschützt sind, wächst die Mangrove. Die Manglebäume "Rhizophora" und "Avicennia" tauchen ihre verästelten Luftwurzeln in das Salzwasser.

Aber die bemerkenswertesten Pflanzen des Archipels - die dem Besucher bei seiner Ankunft sofort auffallen - sind die Kakteen. Auf allen Inseln des Archipels wachsen Kaktusgewächse mit beerenartigen Früchten, grosse "Opuntia", deren stark stachelhaltige Stielsegmente wie Tennisschläger abgeflacht sind. Die sechs Opuntia-Arten findet man nur auf den Galapagos. Einige von ihnen sehen wie Büsche aus, wie die zahlreichen Arten derselben Gattung, die auf dem amerikanischen Kontinent wachsen; andere wieder, haben einen hohen Stamm, der stachelig oder glatt sein kann und von rotbrauner Farbe ist.

Die "Opuntia echios" sind sehr zahlreich in der Umgebung von Puerto Ayora, auf der Insel Santa Cruz; sie können bis zu zwölf Meter hoch werden. Für die dürren Küstenebenen sehr charakteristisch ist der "Jasminocereus thouarsii": eine hochaufstrebende Kaktuspflanze, die an einen riesigen Kandelaber erinnert. Der Früchte, wie z.B. die der Opuntia, haben einen angenehmen Geschmack. Weniger leicht zu finden ist der "Brachycereus nesioticus", der zwischen den erstarrten Lavaströmen seine kurzen, zylindrischen Stiele emporrichtet, die unter langen, goldfarbenen Stacheln verborgen sind. Die "Brachycereus" sind zusammen mit den "Coldenia" und den "Chamaesyce", nur auf den Galapagos vorkommende, kleine bescheidene Pflanzen; die ersten Pflanzen, die auf Lava und Asche wachsen konnten.

Im Küstengebiet findet man ausser den Kakteen nur magere, oft stachelige Büsche, die den Gattungen Acacia, Parkinsonea, Maytenus, Castela, Scutia angehören; niedrige Pflanzen: Héliotrop, Alternanthera, Lantana, Gritgräser und sonstige Gräser kommen reichlich vor.

Am Ende der Jahreszeit nehmen Gritgräser, Sesuvium, Fettpflanzen und Kletterpflanzen eine schöne rote Farbe an. Der Effekt ist besonders eindrucksvoll auf der Insel Plaza, die die "Sesuvium edmonstonei" mit einem prangenden roten Mantel überziehen.

Der Baum, den man am häufigsten auf den Inseln antrifft und der zweifellos einer der grössten ist, ist der "Palo santo" (Bursera graveolens) der während der ganzen trockenen Jahreszeit seine grauen, blätterlosen Zweige wie eine Vogelscheuche zum Himmel reckt. Der Name, den ihm die Spanier gegeben haben, rührt von dem aromatischen Geruch her, den sein frischgeschlagenes Holz ausströmt.

Auf den Berghängen der grössten Inseln löst eine üppigere Vegetation die sehr ärmliche der Küstengebiete ab. Schon in hundert Metern Höhe ist der Unterschied bemerkbar; die Vegetation wird dichter und grüner, die Bäume werden höher und verzweigter, ihre Zweige tragen eine grosse Anzahl von Silberflechten, die sich im Wind wie Vorhänge bewegen. Die ersten Farnkräuter verbergen sich in den Spalten der Felsen, im Schatten des Unterholzes.

Auf der Insel Santa Cruz sind in dieser Höhenlage die "Pega pega" (Pisonia floribunda) zahlreich vertreten; sie sind charakteristisch für diese Übergangszone, die zwischen den dürren Küstengebieten liegt, wo nur Wüstenpflanzen gedeihen, und der "Scalesiazone", die ungefähr in 200 Metern Höhe über dem Wasserspiegel des Meeres beginnt.

In dieser Höhe sind die Niederschläge reichlicher und erreichen ungefähr einen Meter pro Jahr. Ein stärkerer Feuchtigkeitsgehalt der Luft und ein an Humus reicherer Boden lassen Wälder gedeihen.

Die "Scalesia" bilden hier dichte Büsche, die manchmal bis zu zehn Metern hoch werden.

Im Halbschatten des Unterholzes wachsen Pilze und zahlreiche Farnkräuter; auf der Suche nach Licht klammern sich Lianen an den Zweigen der Bäume fest. Das ist das Gebiet der Passionsblume (Passiflora suberosa) und von Schmarotzerpflanzen, die ihren Wohnsitz auf den höchsten Zweigen der grossen Bäume gewählt haben: Flechten, Orchideen (Epidendrum spicatum), "Tillandsia insularis".

Noch höher, zwischen 400 und 500 Metern, in der Nähe der Berggipfel, machen die Scalesia-wälder den grünvioletten Büschen der Miconia Platz, einer nur auf dem Archipel vorkommenden Art. Zu ihren Füssen gedeihen Farnkräuter und Bärlapp in Hülle und Fülle. An verschiedenen Stellen dehnen sich weite Grasteppiche aus.

Noch höher, auf den Gipfeln der höchsten Berge, wachsen nur noch Farnkräuter und Gräser. Auf den Abhängen der feuchtesten Krater der Insel Santa Cruz kann man das wundervolle, baumartige Farnkraut der Galapagos sehen (Cyathea weatherbyana), das bis zu drei Metern hoch wird.

DIE FAUNA

Die Leguane

Die tiefliegenden Küsten, die von chaotisch aufgetürmten schwarzen Lavablöcken geformt sind, werden von einer Menge hellroter Krebse bewohnt, die unter den Augen pastellblau getupft sind. Sie bewegen sich mit grosser Schnelligkeit auf den Felsen fort, dem rhythmischen Vor und Zurück der Wellen folgend.

Vor der Gischt geschützt, aber in der Nähe des Wassers, versammeln sich die seltsamsten Tiere des Archipels in dichten Gruppen: die Meerechsen (Amblyrhynchus cristatus), deren Anblick an die Ungeheuer der Vorzeit oder an die Drachen der Mythologie erinnert. Den Rücken entlang läuft ein gezackter Kamm; am Ende der Pranken sitzen mächtige Klauen.

Die Meerechse ist meistens dunkel, fast schwarz gefärbt, wie die Felsen, die sie umgeben. Nur auf der Insel Española ist sie das ganze Jahr über schön rot oder orangefarben geädert.

Auf den anderen Inseln haben die Männchen während der Fortpflanzungsperiode hellere Töne und ihr Vorderteil ist mit gelben, roten oder grünen Tupfen übersät.

Die Meerechsen werden verhältnismässig gross (die ausgewachsenen Tiere oft über 1m20). Sie sind sehr friedlich gesinnt. Menschen greifen sie nie an. Nur während der Fortpflanzungsperiode - im Dezember und Januar - zeigen sie eine stärkere Agressivität; zu dieser Zeit simulieren die Männchen Kämpfe, um ihr kleines Territorium zu verteidigen. Dieses Territorium ist so beschränkt, dass eine Echse ihren Wohnsitz sehr wohl auf einem Stein wählen kann, während eine andere sich zu deren Füssen niederlässt. Die Weibchen graben dann im Sand des Strandes oder der weichen Erde der Ufer ein Loch, in das sie zwei oder drei Eier legen, aus denen dann im Mai die Jungen schlüpfen.

Die Meerechsen sind besonders interessant für Biologen, denn sie sind die einzigen Saurier der Welt, die sich dem Leben im Wasser angepasst haben. Die Meerechse ist eine gute Schwimmerin. Mit starken Schwanzschlägen bewegt sie sich fort, wobei sie die Glieder an den Körper presst. Bei Ebbe sucht sie auf den Felsen die Algen, die ihr zur Nahrung dienen. Da sie grossen -für Reptile ungewöhn-lichen- Temperaturschwankungen unterworfen ist, wenn sie von den überhitzten Felsen des Strandes in das kalte Meerwasser taucht, muss sie ihren Abkühlungsprozess verzögern können; sie muss trotzdem behend bleiben, um sich ernähren und auch, eventuellen Feinden - besonders den Hai-fischen - entgehen zu können. Sie muss sich ebenfalls schnellstens erwärmen können, sobald sie ans Ufer zurückkehrt. Dies alles gelingt ihr einfach dadurch, dass sie den Rhythmus ihrer Herzschläge verändert. Man hat tatsächlich im Laboratorium festgestellt, dass dieses Reptil seine Wärme nur halb so schnell verliert, wie es sie wiedergewinnt, wenn die Temperatur seiner Umwelt um die gleiche Gradzahl sinkt oder sich erhöht.

Ebenson scheidet die Meerechse das Übermass an Salz aus, das sie mit dem Meerwasser und den stark salzhaltigen Algen, die ihre Nahrung bilden, zu sich genommen hat. Das geschieht mittels eines physiologischen Prozesses. Sie besitzt ziemlich umfangreiche Drüsen, die mit der Nasenhöhle in Verbindung stehen, durch die das Salz in Form von feinen Tröpfchen ausgestossen wird; auf diese Weise wird die Funktion des Nierensystems unterstützt, das sonst unter den gegebenen Umständen nicht funktionieren könnte.

Man hat die Hypothese aufgestellt, dass diese Echsen ursprünglich eine Existenz geführt hätten, die mit der der Leguane, die augenblicklich auf diesen Inseln wohnen, identisch ist. Da sie es aber auf dem festen Boden mit einer überlegenen Art zu tun hatten, hätten sie sich allmählich daran gewöhnt, sich von den Algen des Strandes zu ernähren und hätten dann schliesslich begonnen, eine Existenz im Meer zu führen, wodurch sie das Überleben ihrer Art sicherstellten.

Tatsächlich ist die Meerechse augenblicklich auf allen kleinen Inseln des Archipels stark vertreten; insbesondere auf der Insel Fernandina.

Die Leguane der Galapagosinseln, entfernte Verwandte der Meerechsen, sind leicht von diesen zu unterscheiden. Sie sind von mehr oder weniger kräftigem Gelb, oft rotbraun getüpfelt; der Leguan ist massiver gebaut, sein zylindrischer Schwanz ist kürzer und seitlich weniger zusammengedrückt, als der der Meerechsen.

Dieser Leguan haust zwischen den Felsen und stachligen Büschen der Küstenebenen. Die Nacht verbringt er in Felsspalten versteckt oder in einem Loch, das er sich selbst gräbt. Er ist hauptsächlich Vegetarier und verzehrt Fettpflanzen, zu Boden gefallene Blätter, die Früchte und fleischigen Stiele der Kakteen (besonders die "Racketts" der "Opuntia"), deren lange Stacheln seine Verdauung nicht weiter zu behelligen scheinen.

Der Leguan lebt allein oder in Paaren. Er ist viel agressiver als die Meerechse und er beisst ohne weiteres zu. Die Männchen liefern sich wilde Kämpfe, wobei sie sich heftige Bisswunden zufügen.

Die Systematiker unterscheiden zwei Arten von Leguanen: den "Conolophus subcristatus", der auf den Inseln Fernandina, Isabela, Santa Cruz und Plaza haust, und den "Conolophus pallidus", den man nur auf der Insel Santa Fe antrifft und der sich von dem erstgenannten durch einen stärker entwickelten und kräftig gelb gefärbten Kamm unterscheidet.

Als Darwin den Archipel besuchte, waren die Leguane auf gewissen Inseln so zahlreich, dass er, wie er sagte grosse Schwierigkeiten gehabt hätte, sein Zelt aufzuschlagen, so sei der Boden von ihren Löchern aufgewühlt gewesen.

Kürzlich hat man die Leguane von Santa Cruz, die wegen der streuenden Hunde im Aussterben begriffen waren, auf die Versuchsstation Charles Darwin gebracht, in der Hoffnung, dass sie sich dort wieder vermehren, um sie später, nach Ausmerzen der Hunde auf ihre Ursprungsinsel zurückzubringen.

Los cangrejos rojos se desplazan con velocidad en las rocas; avanzan y retroceden al capricho de las olas que se rompen con un ruido estrepitoso. (Páginas siguientes).

Les crabes rouges se déplacent avec vélocité sur les rochers, avançant et reculant au gré des vagues qui se brisent en grondant. (Pages suivantes).

Red crabs move swiftly over the rocks, advancing and retreating in time with the waves, which groan as they break. (Following pages).

Die roten Krebse bewegen sich sehr rasch auf den Felsen fort, vorwärts und rückwärts, im Rhythmus der Wellen, die sich donnernd brechen. (Folgende Seiten).

las iguanas marinas
les iguanes marins
marine iguanas
die meerechsen

El aspecto de las iguanas marinas evoca un monstruo de la prehistoria o un dragón de la mitología. *(Página siguiente)*.

L'aspect des iguanes marins évoque un monstre de la préhistoire ou un dragon de la mythologie. *(Page suivante)*.

The marine iguana recalls a prehistoric monster or a dragon of mythology. *(Following page)*.

Der Anblick der Meerechsen lässt an die Ungeheuer der Vorzeit oder an die Drachen der Mythologie denken. *(Folgende Seite)*.

Las iguanas marinas de la isla Española son de un rojo marmóreo; en cambio sus primos del Archipiélago, poseen un color más oscuro, casi negro. *(Páginas 56 y 57)*.

Les iguanes marins de l'île d'Española sont marbrés de rouge, contrairement à leurs cousins de l'archipel qui sont le plus souvent de couleur sombre, presque noire. *(Pages 56 et 57)*.

The marine iguanas of Española Island are speckled with red, unlike their cousins in the remainder of the Archipelago, which are usually of a dark colour, almost black. *(Pages 56 and 57)*.

Die Meerechsen der Insel Española sind rotgeädert im Gegensatz zu ihren Vettern auf dem Archipel, die meistens dunkel gefärt, ja fast schwarz sind. *(Seiten 56 und 57)*.

Los animales de las islas son de naturaleza temeraria como lo demuestra esta paloma encaramada encima de la cola de una iguana marina. *(Página anterior)*.

Les animaux des îles sont d'un naturel peu craintif, comme en témoigne cette tourterelle juchée sur la queue d'un iguane marin. *(Page précédente)*.

The animals on the islands are not very timid by nature, as is shown by this dove perched on the tail of a marine iguana. *(Preceding page)*.

Die Tiere der Insel sind keineswegs furchtsam; davon legt auch diese Turteltaube Zeugnis ab, die sich auf den Schwanz einer Meerechse gesetzt hat. *(Siehe Bildext vorhergebende Seite)*.

las iguanas terrestres

les iguanes terrestres

land iguanas

die leguane

La iguana terrestre es de apariencia más particularmente maciza que la iguana marina. La iguana terrestre es esencialmente vegetariana y prefiere nutrirse con las "raquetas" de las Opuntia, cuyas largas espinas no parecen molestar su digestión.

L'iguane terrestre a une apparence plus massive que celle de l'iguane marin. Essentiellement végétarien, il a une préférence très nette pour les "raquettes" des Opuntia, dont les longues épines ne semblent pas troubler sa digestion.

The land iguana looks more bulky than does the marine iguana. The land iguana is essentially a vegetarian and has a very marked preference for the "rackets" of the Opuntia, the long prickles of which do not seem to worry his digestive system.

Die Leguane sind massiver gebaut als die Meerechsen. Da er vor allem Vegetarier ist, frisst der Leguan mit Vorliebe die "Racketts" der "Opuntia", deren Stachel seine Verdauung nicht zu stören scheinen.

Los matorrales de Opuntia de la isla de Plaza constituyen el refugio habitual de las iguanas terrestres. (Página anterior).

Les buissons d'Opuntia de l'île de Plaza sont le refuge habituel des iguanes terrestres. (Page précédente).

The Opuntia bushes on the Island of Plaza are the usual refuge of the land iguana. (Preceding page).

Die Opuntiabüsche der Insel Plaza dienen den Leguanen auch als Zufluchtsort. (Siehe Bildext vorhergebende Seite).

El comportamiento de la iguana terrestre es mucho más agresivo que el de la iguana marina y no vacila en enfrentarse con el intruso que se le acerca.

D'un comportement nettement plus agressif que celui de l'iguane marin, l'iguane terrestre fait face à l'intrus qui l'approche de trop près.

The land iguana is much more aggressive than the marine iguana and faces up to an intruder which comes too close.

Viel angriffslustiger als die Meerechse wehrt sich der Leguan gegen Eindringlinge, die ihm zunahekommen.

El color de las largartijas del género Tropidurus varía de una isla a la otra; las iguanas de la isla Española poseen el cuello anaranjado.

La couleur des lézards du genre Tropidurus varie d'une île à l'autre; ceux d'Española ont la gorge orangée.

The colour of lizards of the genus Tropidurus varies from one island to another; those of Española have an orange-coloured breast.

Die Farben der Eidechsen der Gattung "Tropidurus" ist auf jeder Insel verschieden; die der Insel Española haben eine orangefarbene Kehle.

las tortugas
les tortues
tortoises
die schildkröten

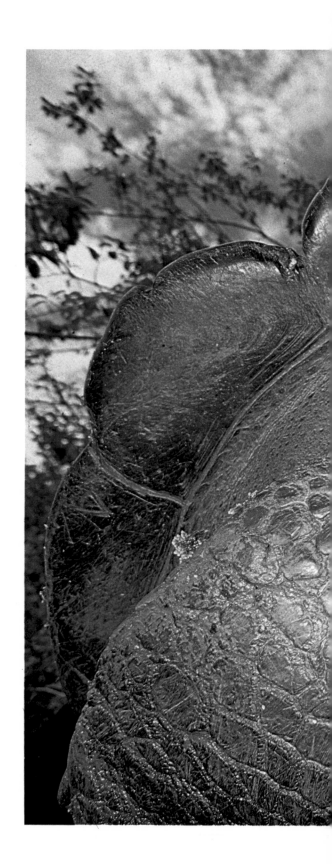

Las tortugas prefieren vivir en las regiones elevadas de las islas grandes, donde el clima es más húmedo y la vegetación más verde. Provistas de patas macisas y escamosas, que recuerdan por su forma cilíndrica las de un paquidermo, las tortugas gigantes pueden pesar hasta doscientos cincuenta kilos.

Les tortues préfèrent les régions élevées des grandes îles, là où le climat est plus humide et la végétation plus verdoyante. Pourvues de pattes massives et écailleuses, qui rappellent par leur forme cylindrique celles d'un pachyderme, les tortues géantes peuvent peser jusqu'à 250 kilos.

Tortoises prefer the highlands of the larger islands, where the climate is moister and the vegetation more verdant. Giant tortoises, equipped with massive, scaly paws the shape of which recall those of a pachyderm, may weigh as much as a quarter of a ton.

Die Schildkröten ziehen die höhergelegenen Regionen der grossen Inseln vor, da dort das Klima feuchter und die Vegetation üppiger ist. Mit ihren massiven und schuppigen Füssen, die wegen ihrer Zylinderform an einen Dickhäuter denken lassen, können die Schildkröten bis zu 250 kg schwer werden.

En las regiones más retiradas de la isla de Santa Cruz, las tortugas siguen llevando una vida ancestral gracias a la protección cuidadosa de los servicios del Parque Nacional.

Dans les régions les plus reculées de l'île de Santa Cruz, les tortues continuent à mener leur vie ancestrale grâce à la protection attentive des services du Parc National.

In the most remote regions of the Island of Santa Cruz, the tortoises go on living as they did in the most distant past, thanks to the attentive protection provided by the National Park Service.

In den entferntesten Regionen der Insel Santa Cruz führen die Schildkröten dasselbe Leben wie es ihre Urahnen geführt haben und das dank des Schutzes, den ihnen der Nationalparkdienst gewährt.

Las tortugas elefantinas prefieren vivir en los charcos con barro y los pastos de mucha hierba que los bordean.

Les tortues éléphantines affectionnent les mares boueuses et les pâturages herbeux qui les bordent.

Giant tortoises prefer muddy pools and the grassy pastures surrounding them.

Die elefantenartigen Schildkröten lieben besonders die schlammigen Teiche und die daranliegenden grashaltigen Weiden.

Cerca de la reserva de tortugas de la Isla de Santa Cruz se abren los profundos cráteres Gemelos.

Non loin de la réserve de tortues de l'île de Santa Cruz, s'ouvrent les profonds cratères des Gemelos.

The deep craters of the Gemelos are not far from the tortoise reserve on the Island of Santa Cruz.

Nicht weit von der Schildkrötenreserve der Insel Santa Cruz öffnen sich die tiefen Krater der Gemelos.

Aquel macho es el último representante de la raza de la Isla de Pinta. Los ensayos para cruzarlo con hembras pertenecientes a razas vecinas fracasaron.

Ce mâle est le dernier représentant de la race de l'île de Pinta. Les essais de croisement effectués avec des femelles appartenant à des races voisines se sont soldés par des échecs.

This male is the last representative of the Pinta Island subspecies. Attempts to cross him with females belonging to closely related species have ended in failure.

Dieses Männchen ist der letzte Vertreter seiner Rasse auf der Insel Pinta. Die Kreuzungsversuche, die mit andersrassigen Weibchen vorgenommen wurden, haben zu einme Misserfolg geführt.

Las tortugas

Las tortugas gigantes son sin duda los representantes más notables y espectaculares de la fauna de las Galápagos. Protegidas por un espeso caparazón, pueden alcanzar un metro cincuenta de alto, y provistas de patas macizas y escamosas que recuerdan, por su forma cilíndrica, las de un paquidermo, las tortugas gigantes suelen pesar hasta doscientos cincuenta kilos. Razón por la cual siempre produjeron un vivo impacto sobre los navegantes que abordaban las islas. El Archipiélago debe su nombre a la palabra Galápagos, que significa tortugas terrestres en español.

Perteneciendo a un grupo muy antiguo de reptiles, cuyos fósiles datan de 250 millones de años, las tortugas se diferenciaron, en el transcurso del tiempo, en tres grupos: tortugas marinas, de agua dulce y terrestres. Hace 80 millones de años, las tortugas terrestres no eran muy diferentes de las que conocemos hoy en día. En el Mioceno y en el Plioceno, es decir hace seis millones de años más o menos, las tortugas eran ampliamente difundidas en el mundo. En una época relativamente reciente, que puede situarse a menos de veinticinco mil años, tortugas gigantes aún vivían en los Estados Unidos. Actualmente, no subsisten sino en las Galápagos y en las Aldabras, situadas al norte de las islas Seychelles.

En el origen, las tortugas gigantes poblaban la mayor parte de las grandes islas del Archipiélago. Todas pertenecían a la misma especie, Geochelone elephantopus; las poblaciones de las islas fueron divididas por los zoólogos en quince sub-especies. Estas distintas razas se reparten en tres grupos, según la forma de su caparazón. Las tortugas de las islas Española, Pinzón, Pinta, Fernandina y las del volcán Wolf en Isabela, tienen un caparazón subido hacia adelante, en forma de silla de caballo. El cuello y las patas son relativamente alargadas. En Santa Cruz, y sobre el volcán Alcedo, su caparazón es redondo en forma de duomo; el aspecto general macizo, los miembros más cortos. Entre los dos extremos se sitúan las razas intermedias de las islas San Cristóbal, San Salvador y las de los volcanes de la Sierra Negra y de Darwin, en Isabela.

Estas diferencias aparecen como adaptaciones a la vegetación de las islas. Las razas que poseen un caparazón en forma de silla de caballo, viven en las islas más pequeñas y más bajas, donde la vegetácion es escasa. La forma de su caparazón, dejando libre el cuello, y el tamaño de sus miembros les permiten alcanzar las hojas de los matorrales. Por el contrario, en las islas de mayor tamaño y más húmedas, donde la vegetación es densa, la forma redonda de su caparazón les permite avanzar más fácilmente.

Por cierto, parece sorprendente a primera vista encontrar cuatro razas diferentes en una misma isla, y especialmente en la isla Isabela. Ello se explica, sin embargo, admitiendo que los volcanes que constituyen esta isla, estaban originalmente separados por el mar, dejando así a las tortugas el tiempo de evolucionar aisladamente.

Las tortugas frecuentan los sitios más diversos, y especialmente, las regiones bajas y desérticas, donde su comida consiste, ante todo, en las "raquetas" de Opuntia.

Al respecto, es interesante anotar que, según el ecólogo Stewart, las tortugas habrían desempeñado un papel selectivo sobre los Opuntia, favoreciendo las formas de tronco elevado, con el fin de proteger sus ramas de las tortugas. Es evidente que existen islas desprovistas de tortugas donde los Opuntia apenas tienen troncos y conservan un aspecto de matorral. Parece, sin embargo, que las tortugas abundan más en las regiones elevadas de las islas grandes, donde el clima es más húmedo y la vegetación más densa, pues prefieren los pastos de mucha hierba y los charcos con barro.

Cuando sobreviene un período de sequía, las tortugas se ven obligadas a desplazarse en grandes distancias, en busca de lugares más húmedos donde el pasto aún no está seco. Asimismo, las hembras grávidas cumplen largos periplos cuando descienden de las alturas en busca de terrenos arenosos más propicios para la formación de sus nidos. De septiembre a diciembre las hembras cavan un agujero, a veces dos o tres, de 20 a 30 centímetros de profundidad, en el cual depositan de 2 a 20 huevos, que cubren con una mezcla de tierra y de orina, con el fin de endurecer la superficie del nido. Cuando terminan de poner los huevos, las hembras vuelven a las regiones elevadas, más verdosas.

El período de incubación demora alrededor de cinco meses, pero puede extenderse a siete, pues varía mucho en función de la temperatura y de la humedad del suelo. Salidas del nido, las jóvenes tortugas crecen rápidamente y su peso se triplica en dos años.

Antiguamente las tortugas no tenían sino un enemigo, el gavilán de las Galápagos, que operaba a la salida del nido. Podían vivir hasta una edad bastante avanzada, entre doscientos o trescientos años. Con la llegada de los hombres, al principio del siglo XVI, las tortugas conocieron un destino muy distinto.

Como tenían fama de ser una comida de lujo, que el corsario Dampier consideraba superior a las aves de corral más finas, las tortugas fueron objeto de matanzas sistemáticas a lo largo de los siglos XVIII y XIX. Los corsarios, y luego los balleneros, llenaban sus bodegas. Estos animales soportaban largos ayunos, y era posible conservar así una provisión de carne fresca durante varios meses, en una época en que la congelación de carnes aún no existía. Además, de la grasa de las tortugas se extraía un aceite que algunos estimaban suculento. Una tortuga adulta suministraba de 4 a 12 litros de aceite. Los archivos de la marina de los Estados Unidos mencionan que 96 navíos llevaron trece mil tortugas en 37 años. Porter cuenta que en cuatro días del año 1805, catorce toneladas de tortugas, casi todas hembras, fueron embarcadas, lo cual no representa, evidentemente, más que una pequeña parte de las tortugas capturadas en esta época. Para evitar los transportes dificultosos, las tripulaciones capturaban las tortugas cerca de las orillas, por lo tanto se trataba en su mayoría de hembras que habían ido a poner sus huevos.

Las tortugas fueron desapareciendo; los navegantes introdujeron en las islas cabras, cerdos, y vacas. Estos animales fueron tremendos competidores de las tortugas. Se desplazaban con mayor rapidez, sustrayendo la mayor parte del alimento a las tortugas, condenándolas al hambre. Además los cerdos, gatos y perros devoraban los huevos y los ejemplares jóvenes, terminando así la matanza.

Actualmente, las razas de las islas Floreana y Santa Fe están extinguidas. Un ejemplar, encontrado en 1906, y procedente de Fernandina subsiste aún en la Academia de Ciencias de California. No se excluye la posibilidad de que aún existan algunas jóvenes tortugas en esta isla, pues se encontraron trazas en 1964, aunque la expedición que fue organizada en 1970 no pudo encontrar absolutamente nada. En la isla Pinta queda un solo macho capturado en diciembre 1971 y conservado en la estación de Investigaciones Darwin. Pero no fue posible hallar una hembra con el fin de asegurar la perennidad de la raza y los ensayos para cruzar hembras pertenecientes a razas vecinas fracasaron, lo cual demostró el bien fundado concepto de las sub-especies establecidas por los zoólogos.

Según Villa, no quedan sino 450 tortugas en la isla de Santiago, 400 en San Cristóbal, y 150 en Pinzón. Las trece tortugas que quedaban en Española fueron transferidas a la estación Darwin.

Hoy en día, las tortugas gigantes son aún relativamente abundantes en Santa Cruz e Isabela. Según, siempre el mismo autor, existirían más de 3000 ejemplares en la primera, y más de 4000 en la segunda.

Las autoridades del parque nacional, con la ayuda de la estación Darwin establecieron un programa para salvar las últimas tortugas. Inventariaron y marcaron las diferentes poblaciones; los representantes de las especies más amenazadas fueron agrupados en la estación donde se procedió a la reproducción de los adultos y a la cría de los jóvenes. Los resultados son muy alentadores. Más de 500 jóvenes tortugas, pertenecientes a seis sub-especies diferentes, han sido incubadas y criadas. Serán puestas en libertad en la isla de origen cuando tengan tres años, edad en la cual no tendrán nada que temer a sus enemigos. Paralelamente, se ha iniciado la eliminación de las cabras y de los cerdos en las islas.

Los reptiles siguen representados en las islas por pequeños lagartos y por serpientes.

Los lagartos del género Tropidurus tienen por lo general pintas marrón, pero su color varía de una isla a otra, y los de la isla Española especialmente tienen un cuello de color naranja. Los zoólogos distinguen entre ellos, siete especies. El Tropidurus albemarlensis está difundido en varias islas, pero en lo que concierne a las seis otras especies se circunscriben cada una en una sola isla.

Son inofensivos. En realidad, como para todos los lagartijos, se trata de especies muy vecinas pertenecientes al mismo género Dromicus.

Como los Tropidurus, los Dromicus evolucionaron aisladamente en cada isla a partir de un ancestro común en el Archipiélago y no siempre es fácil decir que se trata de especies diferentes o de razas particulares.

Les tortues

Les tortues géantes sont sans doute les représentants les plus remarquables et les plus spectaculaires de la faune des Galapagos. Protégées par une lourde carapace, qui peut atteindre jusqu'à
un mètre cinquante de longueur, et pourvues de pattes massives et écailleuses, qui rappellent, par
leur forme cylindrique, celles d'un pachyderme, les tortues géantes peuvent peser jusqu'à deux
cent cinquante kilos. Aussi ont-elles toujours vivement impressionné les navigateurs qui abordèrent
ces îles. C'est à elles que l'archipel doit son nom, "Galapagos" désignant en espagnol les tortues
terrestres.

Appartenant à un groupe très ancien de reptiles, dont on connaît des fossiles datant de 250
millions d'années, les tortues se différencièrent, au cours des temps, en trois principaux groupes :
les tortues marines, d'eau douce et terrestres. Il y a 80 millions d'années, les tortues terrestres
n'étaient pas tellement différentes de celles que nous connaissons aujourd'hui. Au Miocène et au
Pliocène, c'est-à-dire il y a six millions d'années environ, les tortues étaient largement répandues
à travers le monde. A une époque relativement récente, que l'on peut situer à moins de vingt-cinq
mille ans, des tortues géantes vivaient encore aux Etats-Unis. Actuellement, elles ne subsistent
que dans l'archipel des Galapagos et aux îles Aldabra, situées au Nord des Seychelles.

A l'origine, les tortues géantes peuplaient la plupart des grandes îles de l'archipel. Appartenant
toutes à la même espèce, Geochelone elephantopus, les populations des îles furent divisées par
les zoologistes en quinze sous-espèces. Ces différentes races se répartissent en trois groupes, selon
la forme de leur carapace. Les tortues d'Española, Pinzon, Pinta, Fernandina, et celles du volcan
Wolf sur Isabela, ont une carapace relevée vers l'avant, en forme de selle de cheval, le cou et les
pattes sont relaitvement allongés. A Santa Cruz, et sur le volcan Alcedo, leur carapace est arrondie
en forme de dôme, l'aspect général, plus massif, les membres, plus courts. Entre ces deux extrêmes,
se situent les races intermédiaires des îles San Cristobal, San Salvador, et celles des volcans de
Sierra Negra et de Darwin, sur Isabela.

Ces différences apparaissent comme des adaptations à la végétation des îles. Les races ayant
une carapace en forme de selle de cheval, habitent les îles plus petites et les plus basses, où la
végétation est rare. La forme de leur carapace, dégageant le cou, et la longueur de leurs membres
leur permettant d'atteindre les feuilles des buissons. Par contre, dans les îles plus grandes et plus
humides, où la végétation est dense, la forme arrondie de leur carapace rend la progression plus
aisée.

Certes il apparaît surprenant à première vue de trouver quatre races différentes sur une même
île, en l'ocurrence Isabela. Cela s'explique cependant si l'on admet que les volcans qui constituent
cette île étaient, à l'origine, séparés par la mer, laissant ainsi aux tortues le temps d'évoluer isolément.

Les tortues fréquentent les habitats les plus divers, et, notamment, les régions basses et déser-
tiques, où leur nourriture est constituée, avant tout, par les "raquettes" des Opuntia. A ce sujet,
il est intéressant de noter que, d'après l'écologiste Stewart, les tortues auraient eu un rôle sélectif
sur les Opuntia, en favorisant les formes ayant un tronc élevé, qui met leurs rameaux à l'abri des
tortues. Il est certain qu'il existe des îles dépourvues de tortues où les Opuntia n'ont guère de
tronc et gardent un aspect buissonnant. Il semble cependant que les tortues soient plus abondantes
dans les régions élevées des grandes îles, là où le climat est plus humide et la végétation plus dense,
car elles affectionnent les pâturages herbeux, et les mares boueuses.

Lorsque survient une période de sécheresse, les tortues sont contraintes à de longs déplacements,
à la recherche des endroits les plus humides où l'herbe n'est point encore desséchée. De même,
les femelles gravides accomplissent de longs périples lorsqu'elles descendent des hauteurs pour
rechercher les terrains sablonneux plus propices à l'édification de leur nid. C'est de septembre à
décembre que les femelles creusent un trou, et même deux ou trois, profonds de 20 à 30 centimètres,
dans lesquels elles déposent de 2 à 20 oeufs, qu'elles recouvrent d'un mélange de terre et d'urine,
afin de durcir la surface du nid. La ponte terminée, les femelles regagnent les régions élevées,
plus verdoyantes. La période d'incubation dure en moyenne cinq mois, mais peut en dépasser sept,
car elle peut varier grandement en fonction de la température et de l'humidité du sol. Sorties
du nid, les jeunes tortues grandissent rapidement et leur poids triple en deux ans.

Autrefois, les tortues n'avaient qu'un ennemi, la buse des Galapagos, qui prélevait quelques jeunes à la sortie du nid. Elles pouvaient donc vivre jusqu'à un âge très avancé, très probablement entre deux et trois cents ans. Avec l'arrivée des hommes, au début du XVIème siècle, les tortues connurent un tout autre destin.

Ayant la réputation d'être un mets de choix, que le corsaire Dampier estimait supérieur aux plus fines volailles de nos basses-cours, les tortues furent l'objet de massacres systématiques tout au long des XVIIIème et XIXème siècles. Les corsaires, et par la suite les baleiniers, en remplissaient leurs cales. Ces animaux supportant de longs jeûnes, il était possible de conserver ainsi une provision de viande fraîche pendant de nombreux mois, à une époque où la congélation des viandes n'existait pas. De plus la graisse des tortues fournissait une huile que certains estimaient délectable. Une tortue adulte procurait de 4 à 12 litres d'huile. Les archives de la marine des Etats-Unis mentionnent que 96 navires emportèrent treize mille tortues en 37 ans. Porter raconte qu'en quatre jours de l'année 1805, quatorze tonnes de tortues, presque toutes femelles, furent embarquées. Ce qui ne représente, bien sûr, qu'une très faible part des tortues capturées à cette époque. Afin d'éviter des transports pénibles, les équipages capturaient les tortues non loin des rivages, donc, pour la plupart, des femelles venues pondre.

Les tortues se raréfiant, les navigateurs importèrent sur les îles des chèvres, des cochons et des vaches, qui s'avérèrent des concurrents redoutables pour les tortues. Se déplaçant plus rapidement, ces mammifères volaient la plus grande partie de la nourriture des tortues, réduisant ainsi ces dernières à la famine. De plus les cochons, les chats et les chiens dévoraient les œufs et les jeunes, parachevant ce massacre.

Actuellement les races des îles de Floreana et de Santa Fé sont éteintes. Un exemplaire, trouvé en 1906 et provenant de Fernandina subsiste toujours à l'Académie des Sciences de Californie. Il n'est pas exclu qu'il existe encore quelques jeunes tortues sur cette île, car des traces y furent relevées en 1964, bien qu'une expédition montée en 1970 n'ait absolument rien trouvé. De l'île de Pinta, il ne reste qu'un seul mâle, capturé en Décembre 1971 et conservé à la station de recherches Darwin, mais il n'a pas été possible de lui trouver une femelle pour assurer la pérennité de la race et les essais de croisement avec des femelles appartenant à des races voisines se sont soldés par des échecs, ce qui démontre le bien-fondé des sous-espèces établies par les zoologistes.

D'après Villa, il ne reste plus que 450 tortues sur l'île de Santiago, 400 sur San Cristobal et 150 sur Pinzon. Les treize tortues qui restaient sur Española ont été transférées à la station Darwin.

De nos jours, les tortues géantes sont encore relativement abondantes sur Santa Cruz et Isabela. Toujours d'après le même auteur, il y en aurait plus de 3.000 individus sur la première et plus de 4.000 sur la seconde.

Les autorités du parc national, avec l'aide de la station Darwin, ont établi un programme pour sauver les dernières tortues. Après avoir dénombré et marqué les différentes populations, les représentants des espèces les plus menacées ont été regroupés à la station où l'on a procédé à l'accouplement des adultes et à l'élevage des jeunes. Les résultats sont encourageants. Plus de 500 jeunes tortues, appartenant à six sous-espèces différentes, ont été couvées et élevées. Elles seront remises en liberté sur leur île d'origine dès qu'elles auront trois ans, âge auquel elles n'ont plus rien à craindre de leurs ennemis. Paralèllement, l'élimination des chèvres et des cochons a été entreprise sur les îles.

Les Reptiles sont encore représentés dans les îles par de petits lézards et par des serpents.

Les lézards du genre Tropidurus sont le plus généralement tachetés de brun mais leur couleur varie d'une île à l'autre, et ceux de l'île d'Española, notamment, ont une gorge de couleur orangée. Les zoologistes en distinguent sept espèces. Le Tropidurus albemarlensis est répandu sur plusieurs îles, mais en ce qui concerne les six autres espèces, elles se cantonnent chacune à une seule île.

Les trois espèces de serpent qui habitent l'archipel sont toutes inoffensives. A vrai dire, comme pour les lézards, il s'agit d'espèces très voisines appartenant toutes au même genre Dromicus.

Comme les Tropidurus, les Dromicus ont évolués isolément sur chaque île à partir d'un ancêtre commun à l'archipel et il n'est pas toujours aisé de dire s'il s'agit d'espèces différentes ou seulement de races particulières.

Tortoises

The giant tortoises are undoubtedly the most spectacular of the fauna of Galapagos. Protected by a heavy shell, which may be as much as five feet long, and with massive, scaly paws reminiscent, on account of their cylindrical shape, of those of the pachyderms, giant tortoises can weigh as much as a quarter of a ton. They have therefore always made a great impression on sailors who landed on the islands, and to them the Archipelago owes its name of Galapagos (tortoises in Spanish).

The tortoise belongs to a very ancient family of reptiles, and fossils of them have been proved to date from 250 million years ago; with the passage of time, they split into three groups - sea turtles, fresh-water turtles and land tortoises. 80 million years ago, land tortoises were not so very different from those we know today. In the Miocene and the Pliocene eras, about six million years ago, tortoises were widespread throughout the world. At a comparatively recent date - say less than twenty five thousand years ago - giant tortoises were still living in the United States. Today, they survive only in the Galapagos Islands and in the Aldabra Island to the North of the Seychelles.

Originally, the giant tortoises inhabited most of the islands of the Archipelago. They all belonged to the same species - Geochelone elephantopus - and were divided by zoologists into twenty sub-species. These various races were classified into three groups according to the shape of their shells. The tortoises of Española, Pinzon, Pinta, Fernandina, and the Wolf Volcano on Isabela, have a shell which is swept up forward like a riding saddle, while the neck and legs are comparatively elongated. At Santa Cruz and on Alcedo Volcano, the shells are rounded into the shape of a dome, while the general appearance is more bulky and the limbs are shorter. Between these two extremes are the intermediate races of the Islands of San Cristobal and San Salvador, and of the volcanoes of Sierra Negra and Darwin on Isabela.

These differences would appear to constitute an adaptation to the vegetation of the various islands. The races with shells in the form of a saddle inhabit the smallest with the lowest relief, where vegetation is scarce. The shape of their shells, which leaves their necks free, and the length of their legs enable them to reach the leaves on the bushes. On the other hand, on the islands which are larger and moister, with dense vegetation, the rounded shape of the shell makes movement easier.

To be sure, it is surprising at first sight to find four different races on the one and same island of Isabela. This is explicable, however, by the supposition that the volcanoes making up this island were originally separated by water, thus leaving the tortoises free to evolve in isolation.

Tortoises occupy the most widely varying habitats, including the low-lying, desert regions, where the chief food is the racket-shaped stem of the Opuntia. In this connection it is interesting to note that, according to the ecologist Stewart, tortoises play a selective role with respect to the Opuntia, by encouraging the types with a tall trunk, which put their branches beyond the reach of the tortoise. There is no doubt that, on some of the islands where there are no tortoises, the Opuntia have scarcely any trunk at all and look like bushes. It would appear, however, that tortoises are more abundant in the high-lying regions of the larger islands, where the climate is moister and the vegetation denser, for they like grassy pasture and muddy swamps.

When a period of drought arrives, the tortoises have to travel long distances in search of more humid places where the grass has not been completely dried out. In the same way, gravid females cover considerable distances when they leave the highlands to look for sandy ground suitable for building their nests. Between September and December the females dig a hole - or even two or three holes - from eight to twelve inches deep, in which they lay from two to twenty eggs, which they cover with a mixture of earth and urine so as to harden the surface of the nest. When they have finished laying, the females go back to the highlands where there is more vegetation. The incubation period generally lasts five months but may exceed seven, since it largely depends on the temperature and the humidity of the soil. When they leave the nest, the newly hatched tortoises grow rapidly, and increase their weight threefold in two years.

Formerly the only enemy of the tortoise was the Galapagos hawk, which stole a few young ones as they left the nest. Otherwise, they could live to a very advanced age - probably between two and three hundred years. With the arrival of Man in the beginning of the sixteenth century, the tortoises experienced quite another fate.

Having the reputation of providing first-class meat, which the pirate Dampier considered better than the finest of poultry, tortoises were the subject of systematic massacres throughout the eighteenth and nineteenth centuries. The pirates, and later the whalers, filled their holds with them. Since these animals can undergo prolonged fasting, it was possible in this way to keep fresh meat for periods of several months, at a date when the deep freezer did not exist. Moreover, tortoise fat provided an oil which many people considered delicious. An adult tortoise provided from 4 to 12 litres of such oil. The records of the United States Navy show that 96 ships carried away a total of thirteen thousand tortoises in 37 years. Porter tells that in four days during 1805 fourteen tons of tortoises, nearly all of them females, were embarked, and this, of course, accounts for only a small proportion of the tortoises taken away at that period. So as to avoid lengthy handling operations, the crews captured tortoises which were not far from the shore - most of them, therefore, females which had come to lay their eggs.

As tortoises became scarce, sailors landed goats, pigs and cows, which turned out to be serious competitors with the tortoises for food. These mammals, which moved more quickly, stole the majority of the tortoises' food, thus reducing the remainder of them to starvation. In addition, the dogs, cats and pigs ate the eggs and the newly hatched tortoises, thus completing the massacre.

The present situation is that the races formerly inhabiting the Islands of Floreana and Santa Fe are extinct. One sample, found in 1906 and coming from Fernandina, is now at the California Academy of Sciences. It is possible that there may still be a few young tortoises on this island, for traces were discovered there in 1964, although an expedition which was organized in 1970 found nothing. From the Island of Pinta, there remains only one male, which was captured in 1961 and is kept at the Darwin Research Station, but it has proved impossible to find him a female so as to ensure the perpetuity of the race, and efforts to cross him with females from related races have been fruitless, which proves that the sub-species established by the biologists were well-founded.

According to Villa only 450 tortoises remain today on the Island of Santiago, 400 on San Cristobal and 150 on Pinzon. The thirteen which remained on Española have been transferred to the Darwin Station.

Nowadays, giant tortoises are still comparatively abundant on Santa Cruz and Isabela. Again according to Villa, there are more than 3,000 on the first and more than 4,000 on the second.

The National Reserve authorities, with the help of the Darwin Station, have drawn up a programme to conserve these remaining tortoises. Having counted and marked the various populations, they assembled representatives of the most threatened species at the Station and proceeded with breeding from the adults and bringing up the young ones. Results were encouraging. More than 500 young tortoises belonging to six different sub-species have been hatched and reared. They will be restored to liberty on their respective islands as soon as they are three years old, by which time they will have nothing to fear from their natural enemies. At the same time, steps are being taken to eliminate the goats and pigs.

The other representatives of the Reptilia on the Islands are the small lizards and the snakes.

The lizards of the genus Tropidurus are usually spotted with brown, but their colour varies from one island to another, and in particular those of Española Island have an orange-coloured throat. Zoologists distinguish seven species of them. Tropidurus albemarlensis is to be found on several islands, but each of the six other species is confined to its own island.

The three species of snake inhabiting the Archipelago are all harmless. As with the lizards, they are three closely related species all belonging to the genus Dromicus.

Like the Tropidurus, each of the Dromicus species has evolved in isolation on one particular island from a common ancestor, and it is not always easy to say whether they are really different species or merely particular races.

Die Schildkröten

Die Riesenschildkröten sind zweifellos die bemerkenswertesten und eindrucksvollsten Vertreter der Fauna auf den Galapagos. Von einem schweren Panzer geschützt - der bis zu ein Meter fünfzig lang werden kann - und mit massiven, schuppenbedeckten Beinen versehen - die mit ihrer zylindrischen Form an die der Dickhäuter erinnern - können die Riesenschildkröten bis zu 250 kg wiegen. Schon immer haben sie die Seefahrer, die auf den Inseln landeten, stark beeindruckt. Ihnen verdankt der Archipel auch seinen Namen, denn "Galapagos" heisst auf spanisch "Landschildkröten".

Sie gehören einer sehr alten Gruppe von Reptilien an, von denen man schon 250 Millionen Jahre alte Fossilien gefunden hat. Im Laufe der Zeit haben sie sich in drei Hauptgruppen unterteilt: Seeschildkröten, Süsswasserschildkröten und Landschildkröten. Vor 80 Millionen Jahren unterschieden sich die Landschildkröten kaum von denen, die wir heute kennen. Im Miozän und im Pliozän, d.h. vor ungefähr sechs Millionen Jahren, waren die Schildkröten auf der ganzen Welt verbreitet. Zu einer relativ jüngeren Epoche, d.h. so ungefähr vor fünfundzwanzigtausend Jahren, lebten Riesenschildkröten noch in den Vereinigten Staaten. Jetzt gibt es sie nur noch im Archipel der Galapagos und auf den Aldabrainseln, die nördlich von den Seychellen liegen.

Ursprünglich bevölkerten die Riesenschildkröten die meisten grossen Inseln des Archipels. Sie gehörten alle der gleichen Gattung an - der "Geochelone elephantopus". Sie wurden von den Zoologen in fünfzehn Unterarten eingeteilt. Von diesen verschiedenen Rassen, bestehen drei Gruppen, die sich durch ihre Schalen unterscheiden. Die Schildkröten von Española, Pinzon, Pinta und Fernandina und die von dem Vulkan Wolf auf Isabela haben eine Schale, die sich nach vorne zu anhebt - einem Pferdesattel ähnlich. Hals und Beine sind ziemlich lang. Auf Santa Cruz und auf dem Vulkan Alcedo ist ihre Schale domförmig abgerundet; sie sind màssiver und ihre Glieder kürzer. Zwischen diesen beiden Extremen liegen die Rassen der Inseln San Cristobal, San Salvador und die der Vulkane der Sierra Negra und des Darwin, auf Isabela.

Diese Verschiedenheiten sind der Anpassung an die Vegetation der Inseln zuzuschreiben. Die Rassen, deren Schale die Form eines Pferdesattels hat, bewohnen die kleinsten Inseln mit spärlicher Vegetation. Die Form ihrer Schale, die den Hals freilässt, und die Länge ihrer Glieder ermöglichen es ihnen, die Blätter der Büsche zu erreichen. Auf den grösseren und feuchteren Inseln dagegen, wo eine dichtere Vegetation vorherrscht, ermöglicht es ihnen die abgerundete Form ihrer Schale, sich leichter fortzubewegen.

Es scheint natürlich zuerst verwunderlich, dass man auf ein und derselben Insel -auf Isabela- vier verschiedene Rassen antrifft. Das erklärt sich aber dadurch, dass die Vulkane, die diese Insel bilden, ursprünglich durch das Meer getrennt waren, und die Schildkröten sich dementsprechend getrennt entwickelten.

Die Schildkröten haben die verschiedensten Behausungen adoptiert, vor allen in den niedrigen und dürren Gebieten, wo ihre Nahrung hauptsächlich aus den "Raketts" der Opuntia besteht. Hierbei ist interessant festzustellen, dass, nach der Meinung des Umweltforschers Stewart, die Schildkröten auf die Opuntia einen selektiven Einfluss ausgeübt hätten, da sich bei dieser Art besonders die Formen mit einem hohen Stamm entwickelten, der ihre Zweige vor den Schildkröten schützt. Es ist tatsächlich so, dass auf Inseln, wo es keine Schildkröten gibt, die Opuntia kaum einen Stamm haben und nur buschartig gedeihen.

Die Schildkröten scheinen in den höher gelegenen Gebieten der grossen Inseln zahlreicher zu sein, da dort das Klima feuchter und die Vegetation üppiger ist, denn sie haben eine Vorliebe für grasreiche Weiden und schlammige Weiher.

In den Trockenperioden sind die Schildkröten gezwungen, weite Märsche zu unternehmen, um feuchtere Stellen aufzusuchen, wo die Gräser noch nicht verdorrt sind. Auch die trächtigen Weibchen unternehmen lange Wanderungen, wenn sie von den Höhen heruntersteigen auf der Suche nach sandigen Plätzen, die für die Nestzubereitung am geeignetsten sind. Zwischen September und Dezember graben die Weibchen ein Loch -manchmal auch zwei oder drei- die 20 bis 30 Zentimeter tief sind und in die sie 2 bis 20 Eier legen, die sie mit einer Mischung von Erde und Urin bedecken, um so die Oberfläche des Nestes zu härten. Sobald das Eierlegen beendet ist, kehren die Weibchen wieder in die höher gelegenen, grüneren Gebiete zurück. Die Brutperiode dauert im Durchschnitt fünf Monate, kann aber auch sieben Monate überschreiten, denn der Temperatur- und Feuchtigkeitsfaktor des Bodens ist dabei ausschlaggebend. Sobald sie ausgeschlüpft sind, wachsen die jungen Schildkröten sehr schnell. Ihr Gewicht verdreifacht sich in zwei Jahren.

Früher hatten die Schildkröten nur einen einzigen Feind, den Bussard der Galapagos, der nur einige Junge entführte, sobald sie das Nest verliessen. Ohne ernsthaften Feind konnten sie wahrscheinlich bis zu 200 oder 300 Jahre alt werden. Das änderte sich mit dem Eintreffen der Menschen, am Anfang des XVI. Jahrhunderts.

Da sie den Ruf hatten, ein aussergewöhnlich appetitliches Mahl herzugeben - das der Freibeuter Dampier dem feinsten Geflügel vorzog - wurden die Schildkröten im Laufe des ganzen XVIII. und XIX. Jahrhunderts systematisch abgeschlachtet. Die Freibeuter, und nach ihnen die Walfänger, warfen sie einfach in ihre Frachträume; Da diese Tiere sehr lange fasten konnten, war es möglich, so mehrere Monate lang einen Vorrat von frischem Fleisch aufzubewahren und das zu einer Epoche, wo man Fleisch noch nicht gefrieren konnte. Ausserdem stellte man aus dem Schildkrötenfett Öl her, das manche einfach köstlich fanden. Eine ausgewachsene Schildkröten ergab 4 bis 12 Liter Öl. Die Archive der Marine der Vereinigten Staaten erwähnen, dass 96 Schiffe in 37 Jahren dreizehntausend Schildkröten mitnahmen. Porter berichtet, dass im Jahre 1805, in vier Tagen, vierzehn Tonnen Schildkrötenfleisch -fast alles Weibchen- verladen wurden. Das ist natürlich nur ein schwacher Prozentsatz der zu dieser Epoche gefangenen Schildkröten. Um langwierige Transporte zu vermeiden, fingen die Besatzungen die Schildkröten unweit des Ufers; also meistens Weibchen, die gekommen waren, um ihre Eier zu legen.

Da die Schildkröten immer seltener wurden, führten die Seefahrer Ziegen, Schweine und Kühe auf der Insel ein; diese machten den Schildkröten starke Konkurrenz. Da sie sich schneller bewegen konnten, bemächtigten sich diese Säugetiere des grössten Teils der Nahrung der Schildkröten und brachten diese so fast zum Verhungern. Ausserdem frassen Schweine, Katzen und Hunde die Eier und die Jungen und beschleunigten so die Dezimierung.

Heute sind die Rassen der Inseln Floreana und Santa Fe endgültig verschwunden. Ein Exemplar, das im Jahre 1906 gefunden wurde und das aus Fernandina herrührt, kann man noch in der Kalifornischen Akademie der Wissenschaften besichtigen. Es ist nicht ausgeschlossen, dass auch heute noch einige junge Schildkröten auf dieser Insel existieren, denn man traf dort im Jahre 1964 auf Spuren, obwohl eine im Jahre 1970 organisierte Expedition dort absolut nichts vorfand. Auf der Insel Pinta bleibt nur noch ein einziges Männchen übrig, das im Dezember 1971 gefangen wurde und auf der Forschungsstation Darwin aufbewahrt wird; es war aber nicht möglich, ihm ein Weibchen zu finden, um die Fortdauer der Rasse zu gewährleisten. Kreuzungsversuche mit Weibchen, die benachbarten Rassen angehörten, waren ein Misserfolg. Das beweist wieder einmal, dass die Unterteilung in verschiedene Arten keineswegs eine Willkür der Zoologen ist.

Villa ist der Meinung, dass auf der Insel Santiago nur noch 450 Schildkröten, auf San Cristobal 400 und auf Pinzon 150 übrigbleiben. Die dreizehn Schildkröten, die sich noch auf der Insel Española befanden, waren der Versuchsstation Darwin überwiesen worden.

Heutzutage sind die Riesenschildkröten noch verhältnismässig zahlreich auf Santa Cruz und Isabela. Demselben Autor nach, gäbe es noch über 3000 auf der ersteren und über 4000 auf der zweiten.

Die Verwaltung des Nationalparks hat, unter Mitwirkung der Versuchsstation Darwin, ein Rettungsprogramm für die letzten Schildkröten aufgestellt. Nach einer Zählung und Markierung der verschiedenen Arten, wurden die Vertreter der zumeist bedrohten Arten auf der Versuchsstation zusammengetragen; man hat dort ebenfalls die Fortpflanzung der erwachsenen Paare unternommen, sowie auch die Aufzucht der Jungen. Die Ergebnisse sind ermutigend. Über 500 junge Schildkröten, die sechs verschiedenen Unterarten angehören, wurden ausgebrütet und grossgezogen. Sobald sie drei Jahre alt sind, wird man sie auf ihrer Herkunftsinsel in Freiheit setzen, denn in diesem Alter haben sie nichts mehr von ihren Feinden zu befürchten. Man ist ebenfalls dazu übergegangen, die Ziegen und Schweine von diesen Inseln zu vertreiben.

Die Reptile sind auf diesen Inseln auch durch kleine Eidechsen und Schlangen vertreten.

Die Eidechsen der "Tropidurus"-Art sind meistens braun getupft, aber ihre Farben wechseln von einer Insel zur anderen; so haben zum Beispiel die von der Insel Española einen orangefarbenen Hals. Die Zoologen unterscheiden sieben Arten. Der "Tropidurus albemarlensis" ist auf mehreren Inseln vertreten, im Gegensatz zu den sechs anderen Arten, von der sich jede auf eine einzige Insel beschränkt.

Die drei Schlangenarten, die im Archipel vorkommen, sind ausnahmslos harmlos. Wie bei den Eidechsen, handelt es sich auch hier um sehr verwandte Arten, die alle der Gattung der "Dromicus" angehören.

Wie die "Tropidurus", so haben sich auch die "Dromicus" auf jeder Insel getrennt entwickelt; sie haben einen, dem ganzen Archipel gemeinsamen Vorfahren, so dass man nicht immer genau sagen kann, ob es sich um verschiedene Arten handelt oder nur um besondere Rassen.

Lobos de Mar

Las costas del archipiélago están pobladas por dos especies que allí llegaron gracias a la corriente fría de Humboldt.

El león marino o lobo de mar de California, Zalophus Californianus llegó del Norte. Esta especie se encuentra también a lo largo de la Costa Pacífica de toda la América septentrional, hasta la Colombia Británica, y tal vez en el Mar del Japón.

La forma wollebaeki, particular de las Galápagos, es de un tamaño inferior al de sus primos del continente.

Los machos se reconocen fácilmente por su tamaño más grande y macizo, y por su pelaje más claro.

Además, llevan en su frente una protuberancia muy característica. El macho reina con solicitud sobre numerosas hembras, a veces hasta treinta, y defiende celosamente su territorio, persiguiendo a los intrusos que pudieran aventurarse.

Las hembras sólo tienen un crío. Los jóvenes, poseen una cabeza gruesa y pequeñas orejas, y son muy turbulentos; viven jugando, persiguiéndose y atropellándose, sin tregua. Al volver a la playa después de la pesca, las madres recuperan su crío fácilmente llamándolo y husmeándole, para evitar toda equivocación.

El león marino posee un pelaje basto y por esta razón no fue tan intensamente cazado, como lo ha sido la foca, durante cuatro siglos.

Al principio del siglo XIX, el capitán Benjamín Morrel comenta que efectuó un cargamento de más de cinco mil pieles de focas en menos de dos meses.

Pese a que antes haya sido muy abundante en el Archipiélago, se consideraba al principio del siglo que el lobo de dos pelos, Arclocephalus australis galapagoensis, de las Galápagos, estaba por extinguirse. En 1957, Eibl-Eibensfeldt descubrió una importante colonia de aquellos lobos en la isla de San Salvador. Después Lévêque demostró que se encontraba mucho más difundida en el norte del Archipiélago de lo que se imaginaba anteriormente.

Hoy en día, existen colonias de focas en unas diez islas; las más importantes se encuentran en las islas San Salvador, Fernandina e Isabela. Gracias a las medidas de protección que se han tomado, comienza a aumentar el número de ejemplares.

La sub-especie de las Galápagos es más pequeña que las que pueblan América del Sur, tanto en las Costas del Pacífico como en las del Atlántico.

El lobo de dos pelos se diferencia del león marino, no solamente por su piel suave y espesa, sino también por su silueta más rechoncha y menos espigada; su cabeza es más ancha, y se parece a la de un osito. Evita las playas de arena y prefiere las costas rocosas, sembradas de cuevas, donde se esconde y se protege del sol.

Es la única especie de lobos con piel utilizable para el abrigo humano que vive bajo el Ecuador.

Les Otaries

Deux espèces d'otaries peuplent les côtes de l'archipel, et, toutes deux, y sont parvenues grâce au courant froid de Humboldt.

L'otarie de Californie, Zalophus californianus, est arrivée du nord. Cette espèce se rencontre aussi le long de la côte pacifique de l'Amérique septentrionale, jusqu'à la Colombie britannique au nord, et, peut-être encore, dans la mer du Japon.

La forme wollebaeki, qui est spéciale aux Galapagos, est de taille plus petite que celle de ses cousins du continent.

Les mâles sont aisément reconnaissables à leur taille plus grande et plus massive et à la couleur plus claire de leur pelage. De plus ils portent sur le front une bosse caractéristique. Les mâles règnent avec sollicitude sur de nombreuses femelles, parfois une trentaine, et défendent jalousement leur territoire, donnant la chasse aux intrus qui s'y aventurent.

Les femelles donnent naissance à un seul petit. Les jeunes, pourvus d'une grosse tête et de minuscules oreilles, sont turbulents et passent la plus grande partie de la journée à jouer entre eux, se pourchassant et se bousculant sans trêve. Les mères qui regagnent les plages au retour de la pêche, retrouvent aisément leur rejeton en l'appelant puis en le reniflant pour éviter toute méprise.

L'otarie de Californie, n'ayant qu'un pelage grossier, formé de poils raides, n'a jamais été l'objet des chasses intensives dont l'otarie à fourrure a été la victime pendant quatre siècles.

Bien qu'autrefois très abondante dans l'archipel, l'otarie à fourrure des Galapagos, Arctocephalus australis galapagoensis, était considérée, au début de ce siècle, comme très proche de son extinction.

Au début du XIXème siècle, le capitaine Benjamin Morrel rapporte qu'il chargea cinq mille peaux d'otaries à fourrure en moins de deux mois.

En 1957, Eibl-Eibensfeldt en découvrit une importante colonie sur l'île de San Salvador. Par la suite Lévêque montra que cette otarie était, dans le nord de l'archipel, plus largement répandue qu'on ne le pensait auparavant.

Actuellement, il existe des colonies d'otaries à fourrure sur une dizaine d'îles, les plus importantes étant sur les îles de San Salvador, Fernandina et Isabela. Grâce aux mesures de protection qui ont été prises, ces populations commencent à s'accroître.

La sous-espèce des Galapagos est plus petite que celles qui peuplent l'Amérique du Sud, aussi bien sur les côtes de l'Atlantique que sur celles du Pacifique.

L'otarie à fourrure se distingue de celle de Californie, non seulement par sa fourrure douce et épaisse, mais aussi par sa silhouette moins élancée, plus trapue; sa tête est plus large et ressemble à celle d'un ourson. Elle évite les plages de sable et préfère les côtes rocheuses, percées de grottes où elle se dissimule et s'abrite de l'ardeur du soleil.

Elle est la seule espèce d'otarie à fourrure qui habite sous l'Equateur.

Seals

Two species of seal inhabit the coasts of the Archipelago, and both arrived as a result of the Humboldt cold current.

The sea lion (Zalophus californianus), came from the North. This species is also to be found along the Pacific coast of North America as far as British Columbia, and also perhaps in the Sea of Japan.

The wollebaeki type, which is peculiar to Galapagos, is smaller than its mainland cousins.

The males are easily distinguished by their size and bulkiness and the lighter colour of their coats. They also have a characteristic bump on their foreheads. The males reign anxiously over a number of females - sometimes as many as thirty - and jealously defend their territory, chasing off any intruders.

The females give birth to a single pup. The pups, which have a large head and tiny ears, are boisterous and spend most of the day playing together, chasing and bustling each other unceasingly. The mothers, returning to the beach after fishing, easily find their pups again by calling them, and then sniffing them to make sure there has been no mistake.

The sea lion, which has a rough coat formed of stiff hairs, has never been the victim of the intensive hunting to which the fur seal has been subjected for four centuries.

At the beginning of the nineteenth century, Captain Benjamin Morrel reported that he had loaded five thousand fur seal skins in the space of less than two months.

Although formerly very abundant in the Archipelago, the Galapagos fur seal (Arctocephalus australis galapagoensis) was already considered to be nearing extinction at the beginning of the century. In 1957, Eibl-Eibensfeldt discovered an extensive colony of them on San Salvador Island. Leveque subsequently showed that this seal was more widespread in the North of the Archipelago than had been previously thought.

At present, there are colonies of fur seals on a dozen of the islands, the largest being on San Salvador, Fernandina and Isabela. Thanks to protective measures which have been taken, these populations are beginning to increase.

The Galapagos sub-species is smaller than those populating South America, whether on the Atlantic or the Pacific coast.

The fur seal is distinguished from the sea lion not only by its soft, thick coat but also by its less graceful and more sturdy figure. The head is larger and resembles that of a bear. It avoids sandy beaches and prefers rocky coasts pitted with caves in which it can hide and shelter from the rays of the sun.

It is the only species of fur seal living to the South of the Equator.

Die Seelöwen

Zwei Arten von Seelöwen bevölkern die Küsten des Archipels; sie sind beide durch den kalten Humboldtstrom dorthin gelangt.

Der Galapagos-Seelöwe, "Zalophus californianus", ist aus dem Norden gekommen. Man findet diese Art auch längs der pazifischen Küste Nordamerikas, bis nach Britisch-Kolumbien im Norden, und vielleicht sogar noch im japanischen Meer.

Die Gattung der "wollebaeki", die den Galapagos eigen ist, ist kleiner als ihre Vetter vom Festland.

Man erkennt die Männchen leicht an ihrem grösseren und massiveren Körperbau und an der helleren Farbe ihres Pelzes. Ausserdem tragen sie auf der Stirn eine charakteristische Beule. Die Männchen kümmern sich auf rührende Weise um die zahlreichen Weibchen - manchmal bis zu dreissig - und verteidigen eifersüchtig ihr Territorium, aus dem sie jeden Eindringling sofort vertreiben.

Die Weibchen gebären nur ein einziges Junges. Die Jungen, die einen dicken Kopf und winzige Ohren haben, sind ungestüm und spielen fast den ganzen Tag miteinander, indem sie sich jagen und haschen. Die Mütter, die nach dem Fischfang wieder ans Ufer kommen, finden ihre Nachkömmlinge mit Leichtigkeit, indem sie sie rufen und beriechen, um jeglichen Irrtum zu vermeiden.

Der Galapagos-Seelöwe, dessen rüder Pelz aus starren Haaren besteht, ist niemals besonders gejagt worden, während die Pelzrobben schon seit vier Jahrhunderten ein Opfer der Jäger wurden.

Am Anfang des XIX. Jahrhunderts berichtet der Kapitän Benjamin Morrel, dass er in nicht ganz zwei Monaten fünftausend Robbenpelze verlud.

Früher im Archipel in Hülle und Fülle anzutreffen, war die Galapagos-Pelzrobbe, "Arctocephalus australis galapagoensis", am Anfang des Jahrhunderts schon im Aussterben begriffen. Im Jahre 1957 entdeckte Eibl-Eibensfeldt eine bedeutende Kolonie auf der Insel San Salvador. Später hat Lévêque dann bewiesen, dass diese Robbe im Norden des Archipels häufiger vorkam als man früher annahm.

Augenblicklich bestehen Pelzrobben-Kolonien auf ungefähr zehn Inseln. Die bedeutendsten davon sind die Inseln San Salvador, Fernandina und Isabela. Dank der Schutzmassnahmen beginnen diese Tierkolonien wieder anzuwachsen.

Die Unterart der Galapagos ist kleiner als die, die in Südamerika vorkommen, und zwar sowohl an der Atlantischen wie an der Pazifischen Küste.

Die Pelzrobbe unterscheidet sich vom Galapagos-Seelöwen nicht nur durch ihr weiches und dichtes Fell, sondern auch noch durch ihre weniger aufgeschossene, stämmigere Silhouette; ihr Kopf ist breiter und ähnelt dem eines jungen Bären. Sie vermeidet Sandstrände und zieht Felsküsten vor, die von Grotten durchbrochen sind, wo sie sich verstecken und vor der brennenden Sonne schützen kann.

Es ist die einzige Art von Pelzrobben, die man am Äquator vorfindet.

lobos de mar
les otaries
seals
die seelöwen

Las aguas cristalinas del océano se quiebran contra los oscuros basaltos del Archipiélago.

Les eaux cristallines de l'océan se brisent sur les sombres basaltes de l'archipel.

The crystalline waters of the ocean break against the dark basalt rock of the Archipelago.

Die kristallklaren Wasser des Ozeans brechen sich auf den dunklen Basalten des Archipels.

Pelícanos intentan sin éxito robarle su presa a un lobo de mar de California. (Página anterior).

Des pélicans s'efforcent sans succès de dérober sa proie à une otarie de Californie. (Page précédente).

Pelicans try unsucessfully to steal the prey of a sea lion. (Preceding page).

Pelikane versuchen ohne Erfolg einem Galapagos-Seelöwen seine Beute abzujagen. (Siehe Bildext vorhergebende Seite).

La hembra del lobo de mar de California no tiene sino un solo crío a la vez.

La femelle de l'otarie de Californie ne donne naissance qu'à un seul petit.

The female of the sea lion gives birth to only one cub.

Das Weibchen des Galapagos-Seelöwen wirft nur ein einziges Junges.

Lobo de mar de California (macho viejo) tomando el sol encima de un acantilado.

Un vieux mâle d'otarie de Californie se réchauffe au haut d'une falaise.

A bull sea lion suns himself at the top of a cliff.

Ein altes Seelöwenmännchen erwärmt sich hoch oben auf einer Klippe.

Amenazadas de extinción al comienzo del siglo, las colonias de lobos de dos pelos empiezan a crecer en el Archipiélago, gracias a las medidas de protección que han sido tomadas. Sin embargo, los lobos no están al abrigo de sus animales de rapiña naturales, los tiburones. (Páginas 100 y 101).

Menacées d'extinction au début du siècle, les colonies d'otaries à fourrure commencent à s'accroître dans l'archipel, grâce aux mesures de protection ont été prises. Néanmoins les otaries ne sont pas à l'abri de leurs prédateurs naturels, les requins. (Pages 100 et 101).

The colonies of fur seals, which were threatened with extinction at the beginning of the century, are beginning to grow in the Archipelago thanks to the measures which have been taken to protect them. The seals are however still exposed to their natural predators, sharks. (Pages 100 and 101).

Bei Beginn des Jahrhunderts waren die Seeloven am Aussterben. Ihre Siedlungen vermehren sich erneut im Inselmeer dank den genommenen Schutzmassnahmen. Die Seelöwen bleiben jedoch weiterhin Ihren natürlichen Raubtierfeinden ausgesetzt. (Seiten 100 und 101).

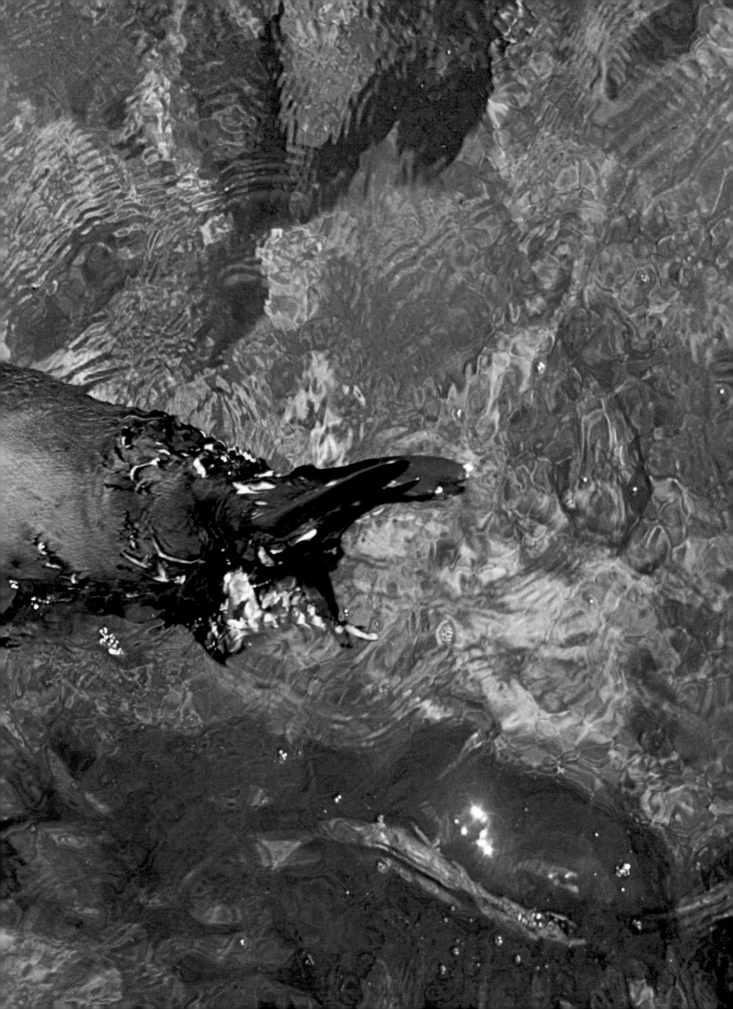

Acantilado rocoso de la isla de Seymour. (Página 104).

Falaise rocheuse de l'île de Seymour. (Page 104).

Rocky cliff on Seymour Island. (Page 104).

Eine Felsenklippe der Insel Seymour. (Seite 104).

Islote rocoso de forma tabular igual a los múltiples que se encuentran en el Archipiélago. (Página anterior).

Un îlot rocheux de forme tabulaire comme il en existe de nombreux dans l'archipel. (Page précédente).

A rocky island in the shape of a table, of which there are numerous examples in the Archipelago. (Preceding page).

Ein tafelförmiges Felseninselchen, wie es deren zahlreiche im Archipel gibt. (Siehe Bildext vorhergebende Seite).

Regresando de la pesca los lobos de dos pelos toman el sol entre los bloques de lava de la Isla de San Salvador.

Au retour de la pêche, les otaries à fourrure se réchauffent parmi les blocs de lave de l'île de San Salvador.

After a fishing sortie, the fur seals sun themselves on the lava blocks of San Salvador Island.

Vom Fischfang zurückgekehrt, wärmen sich die Pelzrobben zwischen den Lavablöcken der Insel San Salvador.

En la costa de la isla de Bartolomé, una roca de lava agujerada como una esponja.

Rocher de lave troué comme une éponge sur la côte de Bartolomé.

Lava rock on the Bartolome coast, full of holes like a sponge.

Ein wie ein Schwamm durchlöcherter Lavafelsen an der Küste von Bartolomäus.

las aves

Si los mamíferos están poco representados en el Archipiélago, en cambio las aves son sumamente abundantes.

Las colonias populosas de aves marinas establecidas en las costas constituyen un espectáculo inolvidable. Se benefician en estas orillas de condiciones excepcionalmente favorables. Las aguas que bordean las islas son sumamente ricas en peces, y aseguran a las aves una comida abundante. Además, la presencia de aguas frías bajo el clima cálido del Ecuador permitió cohabitar a las aves provenientes de los más diversos horizontes. Es sorprendente que pingüinos, oriundos de soledades heladas del Antártico, se hallen en compañía de fragatas, aves típicamente tropicales.

La fauna ornitóloga de las Galápagos ofrece también otro interés, considerable: 28 especies de aves viven en estas islas y son endémicas, es decir que no es posible encontrarlas en ninguna otra parte del mundo.

Recordemos el pingüino del Archipiélago, el cormorán, el albatros, la garza de lava, el pachay, el gavilán, la gaviota blanca y la morena, la paloma, el papamoscas, el vencejo, los cucuves y los pinzones.

El pingüino

El pingüino de las Galápagos es, entre todos los pingüinos, el que más se aventuró hacia el norte, bajando la corriente de Humboldt y siguiendo las costas de Chile y del Perú y el único de los pingüinos que vive bajo el Ecuador.

Con un tamaño que se aproxima a los 50 centímetros y un peso de 2,5 kilos, es el más pequeño de todos los representantes de su familia, y parece un tanto degenerado, comparado con su primo, el pingüino de Humboldt, que vive en las costas de Chile y del Perú.

El pingüino de Galápagos no frecuenta en el Archipiélago sino las aguas profundas, frías y abundantes en peces, que costean las islas Fernandina e Isabela, y especialmente las del estrecho de Bolívar que separa estas dos islas.

El pingüino de las Galápagos, a veces recostado sobre sus patas robustas, a veces acostado boca abajo, busca el fresco y la sombra en el socavado de las lavas donde se rompen las olas. Cuando se desplaza sobre un terreno accidentado, utiliza sus patas y sus aletas; en cambio, en terreno plano avanza dando saltitos para lanzarse al agua, introduciendo primero los piés. Sólo utiliza sus cortas aletas cuando nada; sus patas le sirven de timón. Se nutre exclusivamente de peces que captura buceando. Sus gritos sonoros recuerdan el rebuzno del asno.

Por lo general entre mayo y agosto, aunque es posible encontrar nidos a lo largo del año, los pingüinos establecen sus nidos al límite del mar, entre las cavernas y hendiduras que serpentean debajo de las lavas en dédalos inextricables. Los pingüinos, disimulados al amparo de los bloques de lava, casi en la oscuridad, ponen sus dos huevos blanquecinos.

Aunque las colonias de pingüinos no son muy numerosas y están perfectamente localizadas, es difícil proceder a una evaluación precisa. Según Lévêque, la población no excede de 1500 individuos; según Brosset es del orden de 5000. Los efectivos deben situarse sin duda entre estos dos extremos, lo cual es poco para asegurar la supervivencia de una especie. Sin embargo no parece que el pingüino de las Galápagos se halle actualmente en peligro de extinción, pues su población no ha disminuido durante los últimos años. Es, pues, probable que los pingüinos nunca fueran muy numerosos en las Galápagos y que hayan estado estrechamente localizados en ciertas costas favorables al establecimiento de sus colonias. Estos lugares propicios en el Archipiélago han sido muy limitados en todas las épocas.

El cormorán áptero

El cormorán áptero (Nannopterum harrisi) frecuenta las costas de las mismas islas y su aspecto es particularmente insólito. Es un ave de color marrón oscuro, pesada y torpe, provista de cortas pero fuertes patas. Sus alas son reducidas, rudimentarias, lo cual le impide volar.

Se supone que estas aves perdieron progresivamente la costumbre de volar porque no necesitaban utilizar sus alas para escapar de los enemigos. Nueva-Zelandia ofrece un ejemplo particularmente significativo. En esta isla, aislada del continente desde hace tal vez 70 millones de años, ningún mamífero vivía antes de que llegara el hombre, sino algunos murciélagos. En ausencia de depredadores, varias especies de aves habían perdido el uso de sus alas, tales como los gigantescos Dinornis cuyo tamaño alcanzaba 3 metros de alto y fueron exterminados por el hombre en menos de tres siglos. Actualmente cuatro especies de aves ápteras subsisten en Nueva-Zelandia, las tres especies de Apterix, o Kiwis, y el Kakapo (Strigops habroptilus).

El cormorán áptero de las Galápagos, se desplaza difícilmente en tierra, avanzando a pequeños saltos: sus cortas alas le sirven para mantener el equilibrio. En el mar, en cambio, nada perfectamente; con sus alas pegadas al cuerpo, utiliza únicamente sus poderosas patas para avanzar, método exactamente inverso al practicado por el pingüino.

El cormorán áptero habita en pequeñas colonias que escasamente alcanzan más de veinte aves, justo encima del nivel de las más fuertes mareas. El nido, donde pone dos o tres huevos, está hecho de algas marinas y es siempre fácilmente accesible desde el mar.

El cormorán áptero contrariamente al pingüino, no se aleja de las costas de Fernandina y de las del norte y oeste de Isabela donde forma sus nidos. En 1970, Harris contó 663 nidos ocupados. Se estima la población actual en 800 parejas.

El albatros

El albatros de las Galápagos (Diomedea irrorata), cuya envergadura se aproxima a los 2,50 metros es la mayor ave marina del Pacífico Oriental; sus largas y estiradas alas le permiten cernerse sin esfuerzo en distancias considerables, utilizando para ello las corrientes aéreas ascendentes. Sin embargo, le es difícil despegar y frecuentemente debe caminar hasta el borde de un acantilado antes de lanzarse. A veces su aterrizaje fracasa y cae patas arriba en un matorral.

El albatros de las Galápagos es un ave blanca, grande, cuyo lomo está estriado con franjas gris pálido. Su poderoso pico, largo y ganchudo, le sirve de arma para capturar los peces con los cuales se nutre.

La isla Española, situada al Sur del Archipiélago, es el único lugar en el mundo donde tiene su nido. Harris estima en 12000 el número de parejas que nidifican en la isla, repartidas en varias colonias, en Punta-Suárez, Punta Cevallos, y a lo largo de los acantilados de la costa meridional de la isla. Su número parece relativamente estable desde hace algunos años aunque a veces un tiempo muy caliente y húmedo es nocivo para los jóvenes.

Hacia la mitad del mes de abril, los albatros se aparean dando lugar a múltiples desfiles espectaculares y bailan frenéticamente dando gritos sonoros.

El albatros pone un solo huevo en el suelo desnudo y lo incuba dos meses. Los padres alimentan a los jóvenes hasta diciembre, época en la cual estos últimos se aventuran en el mar. En enero, todas las aves inician su vuelo hasta el sur-oeste en dirección de las costas del Ecuador y de Chile, dejando la isla desierta hasta el próximo mes de marzo.

Las fragatas

Con sus inmensas alas cuya envergadura se acerca a 2,30 metros, las fragatas tienen un vuelo poderoso y persistente. Su extrema ligereza, comparada con la envergadura de sus alas, su cola larga y ahorquillada, y sus pequeñas patas, hacen de ellas unas de las mejores aves de alto vuelo. Durante largas horas se arremolinan en las orillas en las cuales los piqueros establecieron sus nidos.

Por no poseer un plumaje que soporte el agua salada, las fragatas no se echan en el mar para capturar los peces con que se nutren, pero los roban a otras aves de mar. Gracias a la velocidad de su vuelo, las fragatas persiguen a los piqueros y los atrapan con su pico largo y ganchudo, obligándoles de esta forma a soltar su presa que toman al vuelo antes de que caiga al mar.

Cuando llega la estación del celo, los machos hinchan, debajo de su cuello una enorme bolsa de un rojo resplandeciente, que se parece, hasta el punto de confundirse, a un globo de goma. Posándose encima del nido sumario que edificó sobre algún matorral, la cabeza derecha, las alas semidesplegadas, agitado por movimientos convulsivos, el macho exhibe su bolsa colorada frente a las hembras que se cernen en el cielo. Cuando una hembra queda seducida, hace con el macho una especie de ballet nupcial donde la figura principal consiste en movimientos desordenados de la cabeza.

La hembra no pone sino un huevo que incuba durante casi dos meses. El período de la reproducción en el Archipiélago cambia de una isla a otra. La postura se efectúa de febrero a abril en la isla de Genovesa, y de abril a noviembre, en la Española.

Dos especies de fragatas se encuentran en las Galápagos, la gran fragata (Fragata minor), y la fragata magnífica (Fragata magnificens). No se pueden distinguir los machos de las dos especies, en vuelo. De cerca el macho de la gran fragata tiene reflejos verde y azul, y el de la fragata magnífica, reflejos violáceos y una faja parda sobre las alas que poco contrasta con el color negro de su plumaje.

En cambio, las hembras se pueden fácilmente distinguir: la fragata magnífica lleva una mancha negra bien característica bajo el cuello, mientras que la gran fragata tiene el plumaje del pecho todo blanco.

Los piqueros

Los piqueros de patas azules establecen sus colonias cerca de las costas, en terreno descubierto; algunas de ellas cuentan millares de individuos, como es el caso en la isla de Daphne donde el fondo del cráter está cubierto a la vista por una multitud de piqueros. La parada nupcial, con lentas inclinaciones de cabeza y movimientos medidos de las patas, evoca una pavana en la corte de España durante el tiempo de Felipe II. El piquero de patas azules pone dos o tres huevos en el suelo y alcanza muy a menudo a criar sus pequeños hasta que puedan alimentarse solos, lo cual no acontece con el piquero enmascarado. Sin duda será porque pesca más cerca de su nido y puede traer más fácilmente los peces a su progenitura. Viviendo en regiones donde las estaciones son poco marcadas, el piquero de patas azules se reproduce cada siete u ocho meses y no de acuerdo con el ciclo anual.

El mayor de los tres, el piquero enmascarado (Sula dactylatra), lleva una máscara negra en torno a sus ojos anaranjados. Los extremos negros de sus alas y de su cola contrastan con su plumaje de un blanco inmaculado.

Las colonias de picos enmascarados se establecen en lo alto de los acantilados donde las aves pueden más fácilmente emprender su vuelo. El piquero enmascarado es el único miembro de su familia, la de los Sulidae, cuyo ciclo de reproducción es anual, pero la época de ésta varía de una isla a otra: en la Genovesa tiene lugar de agosto a noviembre y en la Española de noviembre a febrero. Como el piquero de patas azules, el piquero enmascarado pone sus huevos directamente sobre el suelo. Estas dos especies, sin duda, perdieron la costumbre de construir su nido porque, en las costas donde viven, escasos eran los depredadores, como también los árboles donde instalar su nido. De los dos huevos que empolla el piquero enmascarado solo logra criar un pequeño, pues el más flojo de los dos está condenado a morirse de hambre al cabo de algunos días.

La más pequeña de las tres especies encontradas en las Galápagos es la del piquero de patas rojas (Sula sula), cuyo vuelo es muy gracioso. En vuelo rasante sobre las olas, a veces apresa peces voladores. Posee un pico azul claro y patas rojas. Habitualmente su color es marrón, pero algunos individuos, menos del cinco por ciento de la población de las islas Galápagos, revisten, en la época de celo, una librea blanca con manchitas negras en las alas.

El piquero de patas rojas, como el piquero de Abbot, contrariamente a las demás especies de piqueros, construye un nido·sencillo con ramitas, encima de un matorral o de un árbol bajito donde pone un solo huevo blanco. Al igual que el piquero enmascarado prohíbe que se acerquen a su nido.

Las colonias de piqueros de patas rojas se encuentran en la periferia del Archipiélago, especialmente en las islas Darwin, Wolf y Genovesa, donde se halla la colonia más numerosa, estimada en 140.000 parejas.

Garzas y flamencos

La garza morena (Ardea herodias) es sin duda la mayor de todas las garzas que viven en el Archipiélago. Frecuenta las costas de todas las grandes islas, cazando al borde de las olas lagartijas, jóvenes iguanas marinas y aun pajaritos. Esta garza es común en América septentrional y central.

Mucho más pequeña, la Garza nocturna (Nyctanassa violacea) se encuentra también en la mayoría de las islas. Es un ave gris cuyo lomo y alas presentan estrías negras. Encima de su cabeza negra tiene un copete amarillo pálido casi blanco como la mancha que lleva debajo del ojo. Aunque por la noche sólo sale a cazar cangrejos rojos, escorpiones e insectos, ocurre con frecuencia que se la halle durante el día medio dormida sobre una roca. Indiferente al ritmo de las estaciones, establece su nido con preferencia en los manglares. Esta garza está ampliamente difundida en las regiones templadas y tropicales de América.

La garza de lava, o garza verde (Butorides sundevalli) es aún más interesante pues es un ave endémica en las islas Galápagos. Se trata de una pequeña garza oscura, gris verde, ligeramente más pálida debajo de la panza. Sus patas anaranjadas contrastan con el aspecto sin brillo del ave. Solitaria casi siempre, se pasea con pasos lentos sobre los arrecifes de lava donde se apodera de cangrejos y lagartijas. Hecho inusitado para una garza, es que se encarama a veces sobre un matorral encima del agua de donde se lanza como un martín-pescador sobre los peces que pasan a su alcance. Se encontraron garzas que presentaban a la vez caracteres propios de esta especie y también de otra especie muy vecina, la garza estriada (Butorides striatus) que también vive en el Archipiélago. En el estado actual de los conocimientos acerca de las aves de las Galápagos, no es posible saber si se trata de híbridos entre estas dos especies o si bien la garza de lava o la garza estriada no son sino sencillamente formas diferentes de una sola y misma especie.

El ave más bella de las islas, el flamenco rosado (Phoenicopterus ruber) es sin duda la que menos efectivos posee en el Archipiélago y cuyo porvenir en las islas se encuentra más amenazado. De acuerdo con el censo realizado por la estación Darwin en Octubre de 1968, la población era de 512 individuos. Sin embargo Harris estimaba en 1974 que el número de flamencos en las islas podría ser mayor.

Esta ave miedosa no soporta que la molesten y levanta vuelo inmediatamente; además solo se reproduce cuando el nivel del agua que frecuenta le conviene, lo cual no ocurre todos los años. Los flamencos no se apartan nunca de las lagunas saladas y de los estancos situados en algunas islas, especialmente en las San Salvador, Rábida, Floreana e Isabela. Sin embargo no están amenazados de extinción pues se encuentran en varios otros lugares del mundo.

Gaviotas y Petreles.

Dos especies de gaviotas hacen sus nidos en las Galápagos.

La gaviota blanca (Creagrus furcatus) es una bella ave de plumaje blanco matizado de gris pálido en su lomo y alas, cuya cabeza blanca se vuelve color gris oscuro en el período de reproducción. Su cola ahorquillada como la de una golondrina y sus párpados de un rojo vivo en torno a sus grandes ojos negros son muy característicos.

Hecho único para una gaviota, no pesca sino de noche, y se aleja de las costas para buscar en la oscuridad los peces con los cuales se nutre.

La gaviota blanca vive en colonias a lo largo de los acantilados de la mayoría de las islas del Archipiélago; evita, sin embargo, las aguas frías del estrecho de Bolívar entre las islas Fernándina e Isabela. A la inversa de las demás gaviotas, solo pone un huevo sobre el suelo, entre los bloques de lava. Descontando algunas parejas que residen en la isla Malpelo, en Colombia, la gaviota blanca solo anida en el Archipiélago de las Galápagos, donde se estima su población entre 10 y 15.000 parejas. Fuera del período de reproducción, que tiene lugar cada 9 o 10 meses, las gaviotas abandonan el Archipiélago para ir a pescar en las aguas costeñas del Ecuador y del Perú.

Limitándose a las islas Galápagos, la gaviota morena (Larus fuliginosus) cuenta actualmente con menos de 400 parejas. Es sin duda la más escasa de las aves de mar, aún menos numerosa que la gaviota de Audouin de las islas del Mediterráneo, amenazada de desaparición próxima.

La gaviota morena es poco atractiva, de plumaje azul negro, como las lavas donde vive.

Esta gaviota se nutre de peces muertos y despojos rechazados por las olas que busca particularmente en la vecindad de los puertos y de los barcos pesqueros. A veces ataca los huevos de otras aves de mar lo mismo que a jóvenes iguanas marinas.

A la inversa de otras gaviotas, las parejas no forman colonias y establecen su nido solitario a grandes distancias las unas de las otras. Como los despojos de los cuales se nutren nunca son muy abundantes, se ven obligadas a procurar la comida necesaria para la alimentación de su progenitura recorriendo varias millas de costas.

También muy escasas son las patas pegadas (Pterodroma phaeopygia) que parecen amenazadas de pronta desaparición. Su número exacto no es conocido, pues sus colonias, establecidas en las pendientes más elevadas y más húmedas de las grandes islas, no se activan sino de noche, y sólo es posible verlas cuando salen a pescar en el mar durante el día. Lo cierto es que su número declina rápidamente, pues las patas pegadas se han vuelto la presa de los perros y gatos, cerdos y ratas. Además, se desbrozaron en su mayoría las faldas de las montañas, donde cavan su madriguera, pues resultan ser los suelos más fértiles de las islas. En las islas Hawai, donde también anidan, la situación no es mejor, sino quizás peor.

Cuatro especies de petreles se anidan en las Galápagos y nueve otras han sido encontradas. El petrel de las Galápagos (Oceanodroma tethys) es especialmente abundante; 200.000 parejas viven en la isla Genovesa.

Rabijunco

El rabijunco pertenece a un género muy distinto, que poblaba los mares cálidos del globo. En las Galápagos se encuentra el rabijunco (Phaethon aethereus) renovando la hazaña del hijo de Apolo de quien lleva el nombre. Desde el cielo se lanza para hundirse en el mar y apoderarse de peces y calamares.

Es un ave fuerte, blanca, con algunas manchitas negras, un pico color rojo coral y cuya cola está adornada por dos plumas largas y afiladas.

Establece su nido en las cavidades de los acantilados y de las rocas más abruptas del Archipiélago, en las cuales sólo deposita un huevo.

Los rapaces

Cerca de las costas áridas donde las aves de mar establecieron sus numerosas colonias, los matorrales espinosos y los árboles esmirriados de las islas encierran una fauna de aves, la cual, aunque menos espectacular y menos rica en especies que las pertenecientes a las costas, es sin embargo digna de interés, pues un gran número de las aves que la componen son propias de las Galápagos.

En las selvas del interior y en el monte bajo se encuentran tres especies de rapaces, descontando dos especies de lechuzas. Dos solamente son visitantes temporales, el balbuzardo y el halcón peregrino, pero la tercera, el gavilán de las Galápagos (Buteo galapagoensis) no reside sino en el Archipiélago y la consideran como endémica aunque tenga un parentezco directo con la especie de América del Norte.

Advirtieron por vez primera a este gavilán a principios del siglo XVI, poco después del descubrimiento de las islas por Diego de Rivadeneira quién se habia refugiado allí y sólo mucho más tarde los ornitólogos supieron de su existencia, gracias a los ejemplares traídos a Europa por Darwin, y estudiados por Gould.

El gavilán de las Galápagos es un ave grande, marrón oscuro, a veces casi negra, cuyo plumaje es más claro debajo y que tiene una cola con rayas negras. La piel del pico es amarilla al igual que sus poderosas patas. Es fácil acercarse al gavilán cuando se encarama a un árbol y muchos viajeros pretenden haberlo acariciado sin que haya tomado vuelo. Sin embargo, cuando el gavilán pone sus huevos o alimenta sus críos, ataca al intruso que penetra en su territorio.

El gavilán construye un voluminoso nido con ramillas, encima de un árbol o de una roca, y en él pone de uno a tres huevos. Ocurre a menudo que dos machos, o más, ayuden a la hembra a criar los pequeños.

Como todos los grandes rapaces, el gavilán de Galápagos se cierne y se arremolina muy alto en el cielo para localizar sus victimas, las cuales pueden ser muchas especies de aves marinas y terrestres, en particular, palomas y pinzones. También se nutre de ratas indígenas e introducidas, de iguanas, lagartijas, ciempiés y otros insectos así como eventualmente de cadáveres. El gavilán que abundada en la mayoría de las islas del Archipiélago, descontando las más septentrionales, ha disminuido en forma considerable desde entonces. Tratándose del más poderoso depredador del Archipiélago, no tenía ningún enemigo antes de la llegada de los hombres. Desde entonces desapareció de San Cristóbal, Floreana, y Daphne y se ha vuelto muy escaso en Santa Cruz. Aunque se encuentra con mucha frecuencia en San Salvador, la población total del Archipiélago es inferior a doscientos individuos, tal vez entre 100 y 120 parejas.

La decadencia de las grandes aves de rapiña es un fenómeno universal. Su número disminuye de modo alarmante y muchas de ellas se aproximan a una desaparición definitiva. Como para sobrevivir necesitan vastos territorios y presas en abundancia, los grandes rapaces son los más sensibles y los primeros en ser víctimas de los estragos causados por el hombre a la naturaleza. La mayoría de las águilas, el quebrantahuesos en Europa, el cóndor de California y el pigargo de cabeza blanca de Estados-Unidos, el aguila de los micos en Filipinas, son lamentables ejemplos de un eclipse.

Los cucuves

Habitan como el gavilán en los matorrales y los bosques más secos. Curiosos de naturaleza, los cucuves no tienen miedo, son a veces muy familiares, pero siempre hacen ruido. Estas pequeñas aves, cuyo tamaño es inferior al de un mirlo, tienen un plumaje sumamente banal, y su dorso presenta manchitas grises y marrones; su parte inferior es blanca. Se alimentan con un poco de todo, pero tienen predilección especial por los huevos de las demás aves. Ocurre a veces que se reunen para perforar entre varios la cáscara de un huevo de albatros, lo cual toma mucho tiempo y requiere numerosos picazos.

Se encuentran en todas las islas del Archipiélago, pero son todos diferentes. En las islas de Champion y de Gardner, a lo largo de Floreana, los 150 cucuves que subsisten tienen el dorso marrón y la panza blanca con manchas características. Los cucuves de la isla Española son los más grandes y poseen el pico más largo, más fuerte y más curvado; su color es ligeramente distinto, especialmente su cola, más blanca. Es sin duda el más diferente de las cuatro especies de cucuves. El cucuve que reside en San Cristóbal es una forma intermediaria entre el cucuve de la isla Española y de Champion.

En realidad, los cucuves de Galápagos, que pertenecen todos al género Nesomimus, propio del Archipiélago, son vecinos los unos de los otros, y quizás constituyan una sola especie, y no cuatro, como se admite generalmente. Estos cucuves, sin embargo, dan un nuevo ejemplo de la diferenciación operada por la evolución cuando poblaciones, pertenecientes en un principio a una misma especie, fueron aisladas.

Los pinzones de Darwin

Al igual que los cucuves, los pinzones de Darwin ofrecen un bello ejemplo de divergencias evolutivas que se manifiestan en ocasión del aislamiento de individuos consanguíneos. El ejemplo se ha vuelto clásico desde que Darwin, hizo de él un argumento, y no el menor, en favor de su teoría sobre el origen de las especies y la selección natural.

Los pinzones de Darwin viven en la mayoría de las islas, desde las orillas del mar hasta las cumbres de las montañas, y abundan en todas partes. Con un corto vuelo, recorren las praderas de gramíneas secas, picoteando las semillas; yendo de mata en mata, juegan en el polvo de los caminos, y se agitan en los matorrales y bosques que animan con sus gritos agudos.

A primera vista, estos modestos pinzones, de color opaco, marrón negruzco se parecen hasta equivocarse a vulgares gorriones. Un examen más profundo permite destacar diferencias sutiles en los colores de su plumaje, más notables en su tamaño y conformación del pico. Estas diferencias permitieron a los ornitólogos dividir los pinzones de las Galápagos en trece especies que repartieron en cuatro géneros. Fue muy difícil, pues estas especies, en plena evolución, son muy poco diferentes entre sí, y algo varían de una isla a la otra como lo testimonian las treinta y siete formas que fueron descriptas desde que Darwin descubrió estos pinzones. Además, los casos de hibridación son frecuentes, lo cual dificulta así mismo la tarea de los sistematólogos.

Un atento estudio, en relación con la biología de los pinzones de Darwin permitió comprobar que la forma de su pico estaba estrechamente ligada con el régimen alimenticio del pájaro. Los pinzones de pico corto y poderoso, el Geospiza fortis y sobre todo el Geospiza magnirostris, se nutren de semillas más gruesas y más duras a las cuales pueden fácilmente sacarles la cáscara. El pequeño pinzón terrestre (Geospiza fuliginosa), cuyo pico se parece al de un pajarito, se conforma con semillas finas. El Geospiza scandens, que posee un pico más largo aunque relativamente más robusto, ligeramente encorvado en su extremo, se ha especializado en la explotación racional de las tunas, cuya pulpa devora, en las semillas de frutas, en el polen de flores y ramitas tiernas. Teniendo un pico parecido al de una cotorra, el Platyspiza crassirostris adoptó un régimen vegetariano y consume hojas, botones y frutas de árboles. Sobre cinco especies de pinzones arborícolas que viven en las Galápagos, tres de ellas tienen un pico, que, a la verdad, no parece muy adaptado para un régimen alimenticio particular, pues lo mismo se nutren con semillas que con insectos. En cambio las dos otras especies, el Camarhynchus heliobates y el Camarhynchus pallidus poseen un pico largo con el cual capturan los insectos. Sin embargo, no utilizan su pico de la misma manera y el uso que de él hace el Camarhynchus pallidus es objeto del interés particular de los biólogos. Como posee un pico mucho más largo y mucho más afilado que los demás pinzones, el Camarhynchus pallidus al estilo de los picos que pueblan el Viejo Mundo, busca los insectos y sus larvas en las hendiduras de las cortezas de árboles y las galerías de los árboles muertos. Pero como no tiene el pico muy largo, recurre a una estratagema de la cual no existe ningún ejemplo análogo en el mundo de las aves: pone en su pico una ramilla, muchas veces una simple espina de cactus, tallada a la dimensión requerida, y con el instrumento desaloja los insectos que su pico demasiado corto no hubiera podido alcanzar. Es el único caso conocido de un ave utilizando una herramienta. Este comportamiento excepcional hace aparecer como un tanto arbitrarias las distinciones entre instinto e inteligencia que fueron establecidas por los filósofos.

Aún más evolucionado, el pinzón-curruca (Certhidea olivacea) perdió totalmente su aspecto de pinzón, familia a la cual pertenecía. Su plumaje verde oliva y su pico fino le confieren una semejanza muy neta con la curruca, a tal punto que Darwin pensó que lo era realmente. Como las currucas, pega saltitos de rama en rama, buscando entre los matorrales insectos y arañas.

Los papamoscas

De tamaño vecino al de un pinzón, el cardenal (Pyrocephalus rubinus) se encuentra en todas las islas pero es más abundante en las regiones arboladas y húmedas de las cumbres. El plumaje del macho es casi enteramente rojo vivo. En acecho encima de una rama, se lanza con vigor sobre los insectos que pasan cerca. Esta bellísima ave vive también en el continente americano.

A la inversa, el papamoscas de pico ancho (Myarchus magnirostris) es propio del Archipiélago de las Galápagos y su plumaje gris no tiene el mismo brillo.

La paloma

La paloma de las Galápagos (Zenaida galapagoensis) es el único representante de su familia en el Archipiélago, donde es precisamente endémico. Esta linda paloma tiene la garganta y la parte inferior color marrón rosado, el dorso y las alas marrón rojizo, con manchitas negras y blancas. Sus párpados azul vivo y los reflejos metálicos de su garganta producen un efecto particularmente agradable.

La paloma de las Galápagos aún se encuentra en abundancia en el Archipiélago, pero sus poblaciones han disminuido seriamente en las islas donde los gatos son numerosos, como en Santa Cruz, pues se anida muy a menudo en tierra, entre las rocas, costumbre muy peligrosa con tales depredadores. Poco salvaje, se deja fácilmente acercar, y en otros tiempos los indígenas lo aprovechaban para llenar canastos enteros que enviaban al continente.

les oiseaux

Si les mammifères ne sont que peu représentés dans l'archipel, par contre les oiseaux y sont extrêmement abondants.

C'est un spectacle inoubliable que de voir les colonies populeuses d'oiseaux marins qui se sont établies sur les côtes. Elles bénéficient sur ces rivages de conditions exceptionnellement favorables. Les eaux qui bordent les îles sont très poissonneuses, assurant aux oiseaux une nourriture abondante. De plus la présence d'eaux froides sous le climat chaud de l'Equateur a permis à des oiseaux, provenant des horizons les plus divers, de cohabiter. Quoi de plus surprenant que des manchots, originaires des solitudes glacées de l'Antarctique, en compagnie de frégates, oiseaux typiquement tropicaux.

La faune aviaire des Galapagos offre aussi un autre intérêt, qui est considérable : 28 espèces d'oiseaux résidant dans ces îles y sont endémiques, c'est-à-dire qu'il n'est possible de les rencontrer en aucune autre partie du monde.

Le manchot, le cormoran, l'albatros, le héron des laves, la buse, le râle, le goéland à queue d'hirondelle et celui des laves, la tourterelle, le gobe-mouche à gros bec, le martinet, les moqueurs et les pinsons y sont tous endémiques.

Le manchot

Le manchot des Galapagos est celui qui, de tous les manchots, s'est aventuré le plus vers le Nord, en descendant le courant de Humboldt le long des côtes du Chili et du Pérou. Il est le seul, parmi les manchots, à habiter sous l'Equateur.

Avec une longueur voisine de 50 centimètres et un poids de 2,5 kilos, c'est le plus petit de tous les représentants de sa famille et il paraît quelque peu dégénéré, comparé à son cousin, le manchot de Humboldt, qui vit le long des côtes du Chili et du Pérou. Le manchot des Galapagos ne fréquente dans l'archipel que les eaux profondes, froides et très poissonneuses qui bordent les côtes des îles de Fernandina et d'Isabela et en particulier celles du détroit de Bolivar qui sépare ces deux îles.

A terre, tantôt debout sur ses pattes robustes, tantôt couché sur le ventre, le manchot des Galapagos recherche le fraîcheur et l'ombre des cavités creusées dans les laves, où se brisent les vagues. Lorsqu'il se déplace en terrain accidenté, il utilise ses pattes et ses ailerons, par contre, en terrain plat, il progresse en sautillant. Pour plonger, il saute les pieds les premiers. Seules ses courtes ailes sont utilisées lorsqu'il nage, les pattes servant de gouvernail. Il se nourrit exclusivement de poissons, qu'il capture en plongée. Ses cris sonores rappellent les braîments d'un âne.

Entre les mois de Mai et d'Août le plus souvent, bien qu'il soit possible de trouver des nids tout au long de l'année, les manchots établissent leur nid à la limite de la mer, parmi les cavernes et les crevasses qui serpentent sous les laves en un dédale inextricable. Les manchots, dissimulés à l'abri des blocs de lave, presque dans l'obscurité, couvent leurs deux œufs blanchâtres.

Bien que les colonies de manchots ne soient pas très nombreuses et fort bien localisées, il est difficile d'en donner une évaluation précise. Selon Lévêque, cette population n'excéderait pas 1.500 individus, selon Brosset, elle serait de l'ordre de 5.000. Probablement les effectifs doivent se situer entre ces deux extrêmes, ce qui est peu, pour assurer la survie d'une espèce. Il ne semble pas cependant que le manchot des Galapagos soit actuellement en danger d'extinction, car sa population ne paraît pas avoir diminué ces dernières années. Il est d'ailleurs probable que les manchots n'ont jamais été très nombreux aux Galapagos et qu'ils furent toujours très étroitement localisés sur certaines côtes favorables à l'établissement de leurs colonies, car ces lieux propices, dans l'archipel, ont, de tout temps, été limités.

Le cormoran aptère

Fréquentant les côtes des mêmes îles, le cormoran aptère (Nannopterum harrisi) est d'un aspect particulièrement insolite. C'est un oiseau de couleur brun foncé, lourd et maladroit, pourvu de courtes mais fortes pattes. Les ailes sont réduites, rudimentaires, et il lui est impossible de voler.

On suppose que ces oiseaux ont perdu progressivement cette habitude parce qu'ils n'avaient pas à faire usage de leurs ailes pour échapper à leurs ennemis. La Nouvelle Zélande en offre un exemple particulièrement significatif : sur cette île, isolée du continent depuis au moins 70 millions d'années, aucun mammifère ne vivait, avant l'arrivée de l'homme, si ce n'est des chauves-souris. En l'absence de prédateurs, plusieurs espèces d'oiseaux avaient perdu l'usage de leurs ailes, tels les gigantesques Dinornis, dont la taille atteignait trois mètres de haut et qui furent exterminés par l'homme en moins de trois siècles. Actuellement plusieurs espèces d'oiseaux aptères subsistent en Nouvelle Zélande, notamment les trois espèces d'Aptéryx ou Kiwis et le Kakapo (Strigops habroptilus). Quant au cormoran aptère des Galapagos, il se déplace difficilement à terre, progressant par petits bonds, ses courtes ailes lui servant à maintenir son équilibre. En mer, par contre, il nage fort bien, les ailes plaquées contre le corps, utilisant uniquement ses pattes puissantes pour avancer, méthode exactement inverse à celle pratiquée par le manchot.

Le cormoran aptère niche par petites colonies qui comportent rarement plus de vingt oiseaux, juste au-dessus du niveau des plus fortes marées. Le nid, où il pond deux ou trois oeufs, est fait d'algues marines; il est toujours aisément accessible de la mer.

Le cormoran aptère, contrairement au manchot, ne s'écarte pas des côtes de Fernandina et de celles du nord et de l'ouest d'Isabela, où il nidifie. En 1970, Harris dénombrait 663 nids occupés. La population actuelle est estimée à 800 couples.

L'albatros

L'albatros des Galapagos (Diomedea irrorata), dont l'envergure est voisine de 2,50 mètres, est le plus grand oiseau marin du Pacifique oriental. Ses ailes longues et effilées lui permettent de planer sans effort sur des distances considérables, utilisant à cette fin les courants aériens ascendants. Cependant il lui est beaucoup plus difficile de décoller, et le plus souvent il doit marcher jusqu'au bord d'une falaise avant de s'élancer. Il lui arrive parfois de rater son atterrissage et de culbuter dans un buisson.

L'albatros des Galapagos est un gros oiseau blanc dont le dos est strié de lignes ondoyantes d'un gris pâle. Il est armé d'un puissant bec jaune et crochu, avec lequel il capture les poissons dont il se nourrit.

L'île d'Española, située au sud de l'archipel, est le seul endroit au monde où il niche. Harris estime à 12.000 le nombre des couples qui nidifient sur l'île, répartis en plusieurs colonies, à Punta Suarez, Punta Cevallos et le long des falaises de la côte méridionale de l'île. Leur nombre serait relativement stable depuis quelques années, bien qu'un temps très chaud et très humide semble néfaste aux jeunes.

C'est vers la mi-avril que les albatros s'accouplent, ce qui donne lieu à des parades nuptiales spectaculaires, à des ébats et à des danses frénétiques, ponctués de cris sonores.

L'albatros ne pond qu'un seul oeuf sur le sol nu, qu'il couve pendant deux mois. Les parents nourrissent les jeunes jusqu'en Décembre, époque à laquelle ces derniers s'aventurent en mer. En Janvier, tous les oiseaux s'envolent vers le sud-est, en direction des côtes de l'Equateur et du Chili, laissant leur île déserte jusqu'au mois de Mars suivant.

Les frégates

Les frégates aux ailes immenses, dont l'envergure est voisine de 2,30 mètres, ont un vol puissant et soutenu. Leur extrême légèreté, comparée à leur envergure, leur longue queue fourchue et leurs pattes réduites, en font les meilleurs voiliers du monde. Durant de longues heures, elles tournoient au-dessus des rivages où les fous ont établi leurs colonies.

N'ayant pas un plumage qui supporte l'eau salée, les frégates ne plongent pas dans la mer pour capturer les poissons dont elles se nourrissent, mais les dérobent aux oiseaux marins. Grâce à leur vol très rapide, les frégates pourchassent les fous et les attaquent à coups de leur bec long et crochu, contraignant ces derniers à lâcher leur proie qu'elles saisissent au vol avant qu'elle ne retombe dans la mer. Les frégates s'en prennent aussi aux œufs et aux jeunes oiseaux de mer, parfois même aux jeunes tortues.

Lorsque vient la saison des amours, les mâles gonflent sous leur gorge une énorme bourse d'un rouge éblouissant qui ressemble à s'y méprendre à un ballon en baudruche. Juché sur le nid sommaire qu'il a édifié sur un buisson, la tête dressée, les ailes à demi déployées, le mâle agité de mouvements convulsifs, exhibe sa bourse écarlate aux femelles qui planent dans le ciel. Lorsqu'une femelle a été séduite, elle se livre avec lui à un ballet nuptial dont les principales figures se résument à des mouvements rapides et désordonnés de leurs têtes.

La femelle ne pond qu'un seul œuf qu'elle couve pendant près de deux mois.

La période de reproduction dans l'archipel varie d'une île à l'autre. La ponte a lieu de Février à Avril, dans l'île de Genovesa, et d'Avril à Novembre, sur l'île d'Española.

Deux espèces de frégates se rencontrent aux Galapagos, la grande frégate (Fregata minor) et la frégate magnifique (Fregata magnificens). Les mâles de ces deux espèces ne peuvent se distinguer en vol. De près, le mâle de la grande frégate a des reflets bleu vert, celui de la frégate magnifique, des reflets violacés et une bande brune sur les ailes qui ne contraste que fort peu avec la couleur noire du plumage. Les femelles, par contre, sont plus aisément reconnaissables, car la frégate magnifique porte une tache noire caractéristique sous la gorge, alors que la grande frégate a le plumage du ventre tout blanc.

Les fous

Les fous sont extrêmement abondants dans l'archipel et il n'y a guère d'îles qui n'abritent leurs colonies populeuses. Trois espèces, toutes propres aux mers chaudes, fréquentent les Galapagos mais elles ne sont pas spéciales à ces îles car elles se rencontrent aussi sur les côtes du continent américain.

Tous les fous ont une silhouette élancée, un bec puissant et pointu et de larges pattes palmées. Les femelles sont toujours plus grandes que les mâles.

Fondant du ciel avec une vitesse extrême, ils plongent, parfois à de grandes profondeurs, à la poursuite des poissons qui constituent l'essentiel de leur nourriture.

Le fou à pattes bleues (Sula nebouxii), comme son nom l'indique, se distingue aisément des deux autres espèces par ses pattes d'un bleu éclatant. Les adultes ont le dos moucheté de brun et le ventre blanc, où se reflètent les teintes de turquoise de la mer lorsqu'ils volent au ras des flots.

Contrairement aux autres espèces, le fou à pattes bleues ne s'aventure guère en haute mer car il préfère pêcher près des côtes, parmi les bras de mer qui séparent les îles. Fait inhabituel pour des oiseaux, les fous à pattes bleues se réunissent parfois en bandes nombreuses pour pêcher; ils plongent alors tous à la fois puis se regroupent pour plonger à nouveau.

Les fous à pattes bleues établissent leurs colonies près des côtes, en terrain découvert; certaines colonies comptent plusieurs milliers d'individus, comme celle de l'île de Daphné où le fond du cratère est dissimulé aux regards par une multitude de fous. La parade nuptiale, lentes inclinaisons de tête, mouvements mesurés des pattes, évoque une pavane à la cour d'Espagne au temps de Philippe II. Le fou à pattes bleues pond deux ou trois œufs sur le sol nu. Il parvient le plus souvent à élever ses petits jusqu'à ce qu'ils puissent se nourrir seuls, ce qui n'est pas le cas pour le fou masqué; c'est sans doute parce qu'il pêche plus près de son nid, qu'il lui est possible de rapporter plus rapidement des poissons à sa progéniture. Habitant des régions où les saisons sont peu marquées, le fou à pattes bleues se reproduit tous les 7 ou 8 mois et non selon un cycle annuel.

Le plus grand des trois, le fou masqué (Sula dactylatra) porte un masque noir autour de ses yeux orangés. Les extrémités noires des ailes et de la queue contrastent avec le plumage d'un blanc immaculé.

Les colonies de fous masqués s'établissent de préférence sur le haut des falaises d'où les oiseaux peuvent s'envoler plus aisément. Le fou masqué est le seul membre de sa famille, celle des Sulidés, dont le cycle de reproduction est annuel, mais l'époque de celle-ci varie d'une île à l'autre, elle a lieu d'Août à Novembre sur Genovesa et de Novembre à Février sur Española. Comme le fou à pattes bleues, le fou masqué pond ses oeufs à même le sol. Ces deux espèces ont probablement perdu l'habitude de construire un nid parce que, sur les côtes qu'ils habitaient, les prédateurs étaient rares, comme d'ailleurs les arbres où installer leur nid. Des deux oeufs qu'il pond, le fou masqué ne parvient à élever qu'un seul petit, le plus faible des deux étant condamné à mourir de faim au bout de quelques jours.

La plus petite des trois espèces de fous rencontrées aux Galapagos, le fou à pattes rouges (Sula sula) est celle dont le vol est le plus gracieux. Rasant les vagues, il lui arrive parfois de saisir des poissons volants. Ce fou a un bec bleu clair et des pattes rouges. Il est habituellement de couleur brune mais quelques individus, moins de cinq pour cent de la population des îles Galapagos, revêtent, lors de la saison des amours, une livrée blanche tachetée de noir sur les ailes.

Le fou à pattes rouges, comme le fou d'Abbot, contrairement aux autres espèces de fous, construit un nid, sommairement bâti avec des branchettes sur un buisson bas ou un arbre peu élevé où il pond un seul oeuf blanc. Comme le fou masqué, il défend les approches de son nid.

Les colonies de fous à pattes rouges sont situées à la périphérie de l'archipel, notamment sur les îles de Darwin, Wolf et Genovesa où se trouve la colonie la plus nombreuse, estimée à 140.000 couples.

Les hérons et les flamants

Le grand héron bleu (Ardea herodias) est de loin le plus grand de tous les hérons qui habitent l'archipel. Il fréquente les côtes de toutes les grandes îles, chassant à la limite des flots les lézards, les jeunes iguanes marins et même les jeunes oiseaux. Ce héron est commun en Amérique septentrionale et centrale.

Nettement plus petit, le héron à aigrette jaune (Nyctanassa violacea) se rencontre lui aussi sur la plupart des îles. C'est un oiseau gris dont le dos et les ailes sont striés de noir. La tête noire est surmontée d'une aigrette d'un jaune très pâle, presque blanc comme la tache qu'il porte sous l'oeil. Bien qu'il ne chasse que la nuit les crabes rouges, les scorpions et les insectes, il est fréquent de le voir de jour, à demi endormi sur un rocher. Indifférent au rythme des saisons, il établit son nid de préférence dans les mangroves. Ce héron est largement répandu dans les régions tempérées et tropicales de l'Amérique.

Beaucoup plus intéressant est le héron des laves ou héron vert (Butorides sundevalli) car cet oiseau est endémique des îles Galapagos. C'est un petit héron au plumage sombre, gris vert, légèrement plus pâle sous le ventre. Les pattes orangées contrastent avec l'aspect terne de l'oiseau. Le plus souvent solitaire, il se promène à pas lents sur les récifs de lave où il s'empare des crabes et des lézards. Fait inhabituel pour un héron, il se perche parfois dans un buisson au-dessus de l'eau, d'où il plonge, tel un martin-pêcheur, sur les poissons qui passent à sa portée. Des hérons furent trouvés qui présentaient à la fois des caractères propres à cette espèce et à une espèce très voisine, le héron strié (Butorides striatus) qui habite aussi l'archipel. Dans l'état actuel des connaissances sur la faune aviaire des Galapagos il n'est pas possible de savoir s'il s'agit d'hybrides entre ces deux espèces ou si le héron des laves et le héron strié ne sont pas plus simplement des formes différentes d'une seule et même espèce.

Le plus bel oiseau des îles, le flamant rose (Phoenicopterus ruber) est sans doute celui dont les effectifs sont les moins nombreux et dont l'avenir dans l'archipel est le plus menacé. D'après le recensement effectué par la station Darwin, en Octobre 1968, la population était de 512 individus. Cependant Harris estimait, en 1974, que le nombre des flamants dans l'île pourrait être supérieur.

Cet oiseau craintif ne supporte pas d'être dérangé et s'envole aussitôt; de plus il ne se reproduit que lorsque le niveau des eaux qu'il fréquente lui convient, ce qui n'arrive pas tous les ans. Les flamants ne s'écartent pas des lagunes salées et des étangs situés sur quelques îles, notamment sur celles de San Salvador, Rabida, Floreana et Isabela. Cette espèce n'est cependant pas menacée d'extinction, comme le flamant de James, des lacs andins, car elle se rencontre en bien d'autres endroits du monde.

Les goélands et les pétrels

Deux espèces de goélands nichent aux Galapagos.

Le goéland à queue d'aronde (Creagrus furcatus) est un bel oiseau au plumage blanc nuancé de gris pâle sur le dos et les ailes, dont la tête blanche devient gris foncé en période de reproduction.

La queue fourchue comme celle d'une hirondelle et les paupières rouge vif qui entourent de grands yeux noirs sont très caractéristiques.

Fait unique pour un goéland, il ne pêche que la nuit, s'écartant loin des côtes pour rechercher dans l'obscurité les poissons dont il se nourrit.

Le goéland à queue d'hirondelle vit en colonies le long des falaises de la plupart des îles de l'archipel; il évite cependant les eaux froides du détroit de Bolivar, entre les îles de Fernandina et d'Isabela. Contrairement aux autres goélands, il ne pond qu'un seul œuf, à même le sol, parmi les blocs de lave. A part quelques couples qui résident sur l'île Malpelo, en Colombie, le goéland à queue d'aronde ne niche que dans l'archipel des Galapagos où sa population est estimée à dix ou quinze mille couples. En dehors de la période de reproduction, qui a lieu tous les neuf ou dix mois, les goélands désertent l'archipel pour aller pêcher dans les eaux côtières de l'Equateur et du Pérou.

Restreint aux îles Galapagos, le goéland des laves (Larus fuliginosa) compte actuellement moins de 400 couples. Ce goéland est sans doute le plus rare des oiseaux de mer, moins nombreux encore que le goéland d'Audouin, des îles de la Méditerranée, que l'on estime cependant menacé d'une disparition prochaine.

Le goéland des laves est un oiseau peu attrayant, au plumage brun noirâtre, comme les laves où il vit.

Ce goéland se nourrit de poissons morts et de débris rejetés par les flots, qu'il recherche, en particulier, à proximité des ports et des bateaux de pêche. Il s'attaque à l'occasion aux œufs des autres oiseaux de mer et aux jeunes iguanes marins.

A l'inverse des autres goélands, les couples ne forment pas de colonies mais établissent leur nid solitaire à de grandes distances les uns des autres. Sans doute les débris dont ils se nourrissent n'étant jamais très abondants, il leur faut rechercher sur plusieurs milles de côtes la nourriture suffisante pour alimenter leur progéniture.

Fort peu nombreux aussi, les pétrels "des îles Hawaï" (Pterodroma phaeopygia) semblent aussi menacés de disparition rapide. Leur nombre exact n'est pas connu, car leurs colonies, établies sur les pentes les plus élevées et les plus humides des grandes îles, ne sont actives que la nuit et il n'est possible de voir ces oiseaux que lorsqu'ils pêchent en mer, pendant la journée. Il est en tout cas certain que leur nombre décline rapidement, car ces pétrels sont la proie des chiens et des chats, des cochons et des rats. En outre, les flancs des montagnes où ils creusent leur terrier, ont été pour la plupart défrichés car ce sont les sols les plus fertiles des îles. Aux îles Hawaï, où l'espèce niche également, leur situation n'est pas meilleure, peut-être pire.

Quatre autres espèces de pétrels nichent aux Galapagos et neuf autres y ont été rencontrées. Le pétrel des Galapagos (Oceanodroma tethys) est extrêmement abondant; 200.000 couples nichent sur l'île de Genovesa.

Le phaéton

Appartenant à un genre bien différent, qui peuple les mers chaudes du globe, le phaéton que l'on rencontre aux Galapagos (Phaethon aethereus), renouvelant l'exploit du fils d'Apollon dont il porte le nom, s'élance du ciel pour plonger dans la mer afin de s'emparer des poissons et des calmars.

C'est un fort bel oiseau blanc quelque peu tacheté de noir, au bec rouge corail et dont la queue s'orne de deux plumes très longues et très effilées qui lui ont valu le nom de paille-en-queue qu'on lui attribue parfois.

Il établit son nid dans les cavités des falaises et des rochers les plus abrupts de l'archipel où il ne dépose qu'un seul œuf.

Les rapaces

Non loin des côtes arides où les oiseaux de mer ont établi leurs nombreuses colonies, les buissons épineux et les arbres rabougris de l'intérieur des îles recèlent une faune aviaire qui, bien que moins spectaculaire et moins riche en espèces que celle des côtes, n'en est pas moins digne d'intérêt, car un grand nombre des oiseaux qui la composent sont propres aux Galapagos.

Trois espèces de rapaces, si l'on excepte les deux espèces de hiboux, se rencontrent dans les forêts et les maquis de l'intérieur. Deux ne sont que des visiteurs saisonniers, le balbuzard et le faucon pélerin, mais la troisième, la buse des Galapagos (Buteo galapagoensis) ne réside que dans l'archipel, où elle est considérée comme endémique, bien qu'elle soit étroitement apparentée à une espèce de l'Amérique du Nord.

Cette buse fut remarquée pour la première fois au début du XVIème siècle, peu après la découverte des îles, par Diego de Rivadeneira qui s'y était réfugié, mais elle ne fut connue des ornithologues que beaucoup plus tard, grâce aux exemplaires rapportés en Europe par Darwin et étudiés par Gould.

La buse des Galapagos est un gros oiseau brun foncé, parfois presque noir, dont le plumage est plus clair sur le ventre et la queue, rayée de noir. La cire du bec est jaune comme les pattes puissantes. Lorsque cette buse est perchée sur un arbre, il est aisé de s'en approcher de très près; de nombreux voyageurs ont même prétendu l'avoir caressée sans qu'elle ne s'envole. Cependant lorsque la buse couve ses œufs ou nourrit ses petits, elle attaque l'intrus qui pénètre sur son territoire.

La buse construit un volumineux nid de brindilles, sur un arbre ou un rocher, dans lequel elle pond de un à trois œufs. Souvent deux mâles, ou même plus, aident la femelle à élever les jeunes.

Comme tous les grands rapaces, la buse des Galapagos plane et tournoie très haut dans le ciel pour repérer ses victimes : un grand nombre d'espèces d'oiseaux marins et terrestres, en particulier les tourterelles et les pinsons. Elle s'attaque aussi aux rats, indigènes et introduits, aux iguanes et aux lézards, aux scolopendres et aux insectes, et éventuellement aux cadavres.

Autrefois abondante sur la plupart des îles de l'archipel, à l'exclusion des plus septentrionales, elle s'est considérablement raréfiée depuis lors. Etant le plus puissant prédateur de l'archipel, la buse des Galapagos n'avait pas d'ennemi avant l'arrivée des hommes. Depuis elle a disparu de San Cristobal, Floreana et Daphne; elle est devenue très rare à Santa Cruz. Bien qu'on la rencontre encore fréquemment sur San Salvador, la population totale de l'archipel, inférieure à 200 individus, serait comprise, selon certains, entre 100 et 120 couples.

Le déclin des grands oiseaux de proie est un phénomène universel. Le nombre de la plupart d'entre eux diminue de façon alarmante, beaucoup sont proches d'une disparition définitive. Nécessitant pour survivre de vastes territoires et un gibier abondant, les grands rapaces sont les plus sensibles et les premiers à être atteints par les ravages causés par l'homme à la nature. La plupart des aigles et le gypaète en Europe, le condor de Californie et la Pygargue à tête blanche aux Etats-Unis, l'aigle des singes aux Philippines, en sont de regrettables exemples.

Les moqueurs

Habitant, comme la buse, les maquis et les bosquets les plus secs, les moqueurs, très curieux de nature, ne sont nullement craintifs, parfois même tout à fait familiers, et toujours bruyants.

Ces petits oiseaux, dont la taille est inférieure à celle d'un merle, ont un plumage des plus banals : leur dos est tacheté de gris et de brun, leur ventre blanc. Ils se nourrissent d'à peu près tout, mais ont une préférence marquée pour les œufs des autres oiseaux. Il arrive parfois qu'ils se mettent à plusieurs pour percer la coquille d'un œuf d'albatros, ce qui demande beaucoup de temps et de nombreux coups de bec.

Ils se rencontrent sur toutes les îles de l'archipel, mais n'y sont point identiques. Sur l'île de Champion et sur celle de Gardner, au large de Floreana, les 150 moqueurs, qui subsistent, ont le dos brun et le ventre blanc tachetés de façon caractéristique. Les moqueurs de l'île d'Española sont les plus grands et possèdent le bec le plus long, le plus fort et le plus recourbé, leur couleur est aussi légèrement différente, notamment celle de la queue qui est davantage marquée de blanc. C'est sans doute le plus différent des quatre espèces de moqueurs. Le moqueur qui réside à San Cristobal est une forme intermédiaire entre le moqueur d'Española et celui de Champion.

A vrai dire, les moqueurs des Galapagos, qui appartiennent tous au genre Nesomimus, propre à l'archipel, sont très voisins les uns des autres et ne constituent peut-être qu'une seule et même espèce, et non quatre, comme cela est admis le plus généralement. Ces moqueurs donnent cependant un nouvel exemple de la différenciation opérée par l'évolution lorsque des populations, appartenant à l'origine à une même espèce, sont isolées.

Les pinsons de Darwin

Comme les moqueurs, les pinsons de Darwin offrent un bel exemple des divergences évolutives qui se manifestent lors de l'isolement d'individus consanguins. Cet exemple est devenu classique depuis que Darwin en fit un argument, et non le moindre, en faveur de sa théorie sur l'origine des espèces et la sélection naturelle.

Habitant la plupart des îles, des rivages de la mer aux sommets des montagnes, les pinsons de Darwin abondent partout. Ils parcourent, de leur vol bref, les prairies de graminées sèches, picorant les graines de touffe en touffe, s'ébattent dans la poussière des sentiers, s'affairent parmi les buissons et les bosquets qu'ils animent de leurs cris perçants.

A première vue, ces modestes pinsons, de couleur terne, brune ou noirâtre, ressemblent à s'y méprendre à de vulgaires moineaux. Un examen plus approfondi laisse apparaître des différences subtiles dans les couleurs du plumage, mais plus nettes dans la taille et la conformation du bec. Différences qui permirent aux ornithologues de diviser les pinsons des Galapagos en treize espèces qu'ils répartirent en quatre genres. Cela ne se fit pas sans difficultés car ces espèces, en pleine évolution, ne sont que peu différentes les unes des autres et varient, dans une faible mesure, d'une île à l'autre, comme en témoignent les 37 formes qui furent décrites depuis la découverte de ces pinsons par Darwin. De plus les cas d'hybridation sont fréquents, ce qui rend la tâche des systématiciens plus malaisée encore.

Une étude attentive de la biologie des pinsons de Darwin a permis de constater que la forme du bec était étroitement liée au régime alimentaire de l'oiseau. Les pinsons au bec court et puissant, le Geospiza fortis et surtout le Geospiza magnirostris, se nourrissent des graines les plus grosses et les plus dures qu'ils peuvent décortiquer aisément. Le petit pinson terrestre (Geospiza fuliginosa), dont le bec ressemble à celui d'un moineau, se contente des graines les plus fines. Le Geospiza scandens, qui possède un bec plus long, quoique relativement robuste, légèrement recourbé à son extrémité, s'est spécialisé dans l'exploitation rationnelle des Opuntia dont il dévore la pulpe et les graines des fruits, le pollen des fleurs et les tiges les plus tendres. Ayant un bec qui ressemble à celui d'une perruche, le Platyspiza crassirostris a adopté un régime végétarien et consomme les feuilles, les bourgeons et les fruits des arbres où il vit. Sur les cinq espèces de pinsons arboricoles qui habitent les Galapagos, trois ont un bec qui, à vrai dire, n'est pas particulièrement adapté à un régime alimentaire précis, ils se nourrissent aussi bien de graines que d'insectes. Par contre les deux autres espèces, le Camarhynchus heliobates et le Camarhynchus pallidus possèdent un bec long avec lequel ils capturent les insectes.

Toutefois ils n'utilisent pas leur bec de la même manière et l'emploi qu'en fait le Camarhynchus pallidus est l'objet de l'intérêt tout particulier des biologistes. Possédant un bec beaucoup plus long et beaucoup plus effilé que les autres pinsons, le Camarhynchus pallidus, à la manière des pics du vieux monde, recherche les insectes et leurs larves dans les fentes des écorces et les galeries des arbres morts. Mais, n'ayant pas le bec aussi long que celui d'un pic, il a recours à un stratagème dont il n'existe pas d'exemple analogue dans le monde des oiseaux : tenant dans son bec une brindille ou, le plus souvent, une épine de cactus, taillée à la dimension voulue, le pinson-pic déloge, à l'aide de cet instrument, les insectes que son bec trop court ne peut atteindre. C'est le seul cas connu d'un oiseau se servant d'un outil. Ce comportement exceptionnel fait apparaître comme quelque peu arbitraires les distinctions entre instinct et intelligence qui furent établies par les philosophes.

Plus évolué encore, le pinson-fauvette (Certhidea olivacea) a complètement perdu l'aspect d'un pinson, à la famille duquel il appartient pourtant. Son plumage vert olive et son bec fin lui confèrent une ressemblance très nette avec une fauvette, à tel point que Darwin pensait que ce pinson en était réellement une. Comme les fauvettes, sautillant de branche en branche, il recherche, parmi les buissons, les insectes et les araignées.

Les Gobe-mouches

D'une taille voisine à celle d'un pinson, le gobe-mouches vermillon (Pyrocephalus rubinus) se rencontre sur toutes les îles mais il est plus abondant dans les régions boisées et humides des sommets. Le plumage du mâle est, pour la plus grande part, d'un rouge éclatant. Aux aguets sur une branche, il s'élance avec vivacité sur les insectes qui passent à sa portée. Ce bel oiseau habite aussi le continent américain.

A l'inverse, le gobe-mouches à gros bec (Myiarchus magnirostris) est propre à l'archipel des Galapagos et son plumage gris n'est pas aussi brillant.

La tourterelle

La tourterelle des Galapagos (Zenaida galapagoensis) est l'unique représentante de sa famille, celle des pigeons, dans l'archipel où elle est d'ailleurs endémique. Cette jolie colombe a la gorge et le ventre beige rosé, le dos et les ailes brun roussâtre, tachetés de noir et de blanc. Les paupières bleu vif et les reflets métalliques de la gorge sont d'un effet particulièrement agréable à l'œil.

La tourterelle des Galapagos est encore abondante dans l'archipel mais ses populations ont sérieusement diminué dans les îles où les chats sont nombreux, comme à Santa Cruz, car elle niche le plus souvent à terre, parmi les rochers, habitude qui la rend particulièrement vulnérable à ces prédateurs. Peu farouche, il est aisé de l'approcher, ce dont les indigènes ne manquaient pas, jadis, de tirer profit : ils en remplissaient des paniers qu'ils expédiaient sur le continent.

Pinzón terrestre grande encaramado en una ramilla de Cordia lutea.

Pinson à gros bec perché sur un rameau de Cordia lutea.

Large ground finch perched on a branch of Cordia lutea.

Dickschnäbliger Fink auf einem Zweig der "Cordia lutea".

I.

Pinzón artesano utilizando una espina de tuna para explorar un agujero.

Pinson-pic explorant une galerie à l'aide d'une épine d'Opuntia.

Woodpecker finch using an Opuntia thron to explore a crevice.

Specht-Fink, der mit Hilfe eines Opuntia-Dorns Insekten aufstöbert.

II.

El pachay.
Le râle des Galapagos.
Galapagos rail.
Ralle der Galapagos.

III.

Paloma de las Galápagos.
Tourterelle des Galapagos.
Galapagos dove.
Turteltaube der Galapagos.

IV.

birds

Whereas there are very few species of mammals in the Archipelago, there is a great abundance of birds.

It is an unforgettable sight to watch the vast flocks of sea birds which have settled on the coasts, where they have the advantage of exceptionally favourable conditions. The waters surrounding the islands contain plentiful fish, providing the birds with abundant food. Moreover, the presence of cool water in spite of the hot climate of the Equator, enables birds coming from a wide variety of countries to live together. What can be more surprising than to find penguins from the frozen solitudes of the Antarctic in the company of the typically tropical frigate bird?

But there is something else of considerable interest regarding the bird life of the Galapagos. 28 species inhabiting the islands are endemic to them - in other words, it is not possible to find them in any other part of the world.

The penguin, flightless cormorant, albatross, lava heron, hawk, rail, swallow-tailed gull and lava gull, dove, large-billed flycatcher, martin, mocking birds and finches are all endemic to the Archipelago.

The penguin:

The Galapagos penguin is, of all penguins, the one that has ventured farthest North, by following the Humboldt current along the coasts of Chile and Peru. He is the only penguin to live at the Equator.

About twenty inches long and weighing 5 1/2 lbs, this is the smallest of the entire Penguin family, and he would appear to be somewhat degenerated as compared with his cousin, the Humboldt penguin, who lives along the coasts of Chile and Peru. The Galapagos penguin sticks to the deep, cool waters with abundant fish surrounding the Islands of Fernandina and Isabela, particularly the Straits of Bolivar, which run between the two islands.

On land, the Galapagos penguin, sometimes erect on his sturdy legs and sometimes lying on his belly, seeks the coolness and shade of the cavities in the lava on which the waves break. When he moves about on uneven ground, he uses his legs and his stunted wings, but on flat ground he hops. When diving, he goes in feet first. He swims by means of his short wings, using his feet for steering. He feeds exclusively on fish, which he captures by diving. His sonorous cry sounds like the braying of a donkey.

The female penguin generally builds her nest between May and August, although nests are to be found throughout the year, on the seashore, among the caverns and crevices which form an inextricable maze under the lava. Here, sheltered by the blocks of lava, she sits in the dark on her two whitish eggs.

Although there are not many colonies of penguins and each has a specific location, it is difficult to assess the number of penguins exactly. According to Leveque, the total population does not exceed 1,500, but according to Brosset it is about 5,000. The true figure probably lies between these two extremes - which is not many to ensure the survival of the species. However, it would not appear that the Galapagos penguin is at present in danger of extinction, since the total population would not seem to have diminished over the past few years. In any case it is probable that penguins have never been very numerous in Galapagos and were always closely confined to certain coasts favourable to the establishment of their colonies, which must always have been limited in the Archipelago.

The flightless cormorant

The flightless cormorant (Nannopterum harrisi), which inhabits the coasts of the same islands, is a particularly unusual sight. It is a heavy, clumsy bird, dark brown in colour and with short, strong legs. The wings are stunted and rudimentary, and this cormorant cannot fly.

It is assumed that these birds gradually lost the habit of flying because they did not need to use their wings to escape from their enemies. New Zealand offers a significant example of this. On those islands, which had been isolated from the mainland for at least 70 million years, there were no mammals, apart from the bat, before the coming of Man. In the absence of predators, several species of bird had lost the use of their wings, such as the gigantic dinornis, which was ten feet tall and was exterminated by Man in less than three centuries. At present, several species of wingless birds remain in New Zealand, including the three species of Apteryx or Kiwis and the Kakapo (Strigops habroptilus).

To return to the flightless Galapagos cormorant, he moves on land with difficulty by short hops, using his short wings to maintain his balance. At sea, on the other hand, he is in his element, swimming well with his wings close to his body and using his powerful legs only for propulsion, unlike the penguin which uses only its wings.

The flightless cormorant nests in small groups, rarely of more than twenty birds, just above the level of the highest tides. The nest, which contains two or three eggs, is built of seaweed; it is always easy to get to from the sea.

Unlike the penguin, the flightless cormorant scarcely leaves the coasts of Fernandina and the northern and western coasts of Isabela, where nesting takes place. In 1970, Harris counted 663 occupied nests. The present population is assessed at 800 couples.

The Albatross

The Galapagos albatross (Diomedea irrorata), with a wingspan of about 8 feet, is the largest sea bird in the Eastern Pacific. His long, tapering wings enable him to glide effortlessly over considerable distances, using rising currents of air to help him. Taking off, however, is another matter, and he often has to walk to the edge of a cliff in order to do so. Sometimes, too, he makes a poor landing and finishes up in a bush.

The Galapagos albatross is a large white bird whose back is striped with wavy, pale grey lines. He is armed with a powerful, hooked yellow bill, with which he catches the fishes on which he feeds.

The Island of Española in the South of the Archipelago, is the only place in the world where this albatross nests. Harris estimates the number of couples nesting on the Island to be 12,000, divided up into a number of colonies at Punta Suarez, Punta Cevallos and along the cliffs of the southern coast. It would appear that the number has changed little over the past few years, although very hot and very humid weather is harmful to the young.

The breeding season is about the middle of April and gives rise to spectacular nuptial parades, frolicking and frenzied dances punctuated by loud cries.

The albatross lays only one egg on the bare soil and sits on it for two months. The parents feed their young until December, when the latter take to the sea. In January, all the birds fly off to the South-East in the direction of the Ecuador and Chile coasts, leaving the island until the following March.

The frigate birds:

The frigate birds with their huge wings and a wingspan of about 7 feet 6 inches are powerful fliers over long distances. Their small weight in relation to their span, their long, forked tail and their stunted legs make them the best gliders in the world. For hours on end they circle above the shores where the gannets have established their colonies.

Since their feathers cannot withstand salt water, the frigates do not dive into the sea to catch the fishes on which they feed but steal them from sea birds. Thanks to their very rapid flight, they chase the gannets and attack them with jabs of their long, hooked beaks, forcing them to drop their prey, which they seize as it falls down towards the sea. The frigates also take eggs and young sea birds, and even young tortoises.

When the breeding season arrives, the males inflate an enormous scarlet pouch in their throats. The male, perched on the primitive nest he has built on a bush, with his head up and his wings half-spread, makes convulsive movements and shows off his scarlet pouch to the females hovering up aloft. When a female yields to his seductions, he performs with her a nuptial dance, the chief figure of which consists of rapid movements of the head.

The female lays only one egg and sits on it for nearly two months.

The reproduction period varies from one island to another. Laying takes place from February to April on the Island of Genovesa and from April to November on the Island of Española.

Two species of frigate bird are encountered in Galapagos - the great frigate bird (Fregata minor) and the magnificent frigate bird (Fregata magnificens). It is impossible to distinguish between the males of these two species in flight. When seen close to, the male of the great frigate bird has a sheen of greenish-blue, while the magnificent has a sheen of violet, and a brown stripe on the wings which makes little contrast with the black of the plumage. The females, however, are easier to recognize, since that of the magnificent has a characteristic black patch under the throat, while the female of the great frigate bird has a completely white belly.

Booby gannets

Gannets are extremely abundant in the Archipelago and there is scarcely an island which does not have a numerous colony of them. Three species, all specific to warm seas, inhabit the Islands, but they are not peculiar to them, for they can be found on the coasts of the American mainland.

All gannets have a graceful shape, a powerful pointed bill and wide webbed feet. The females are always larger than the males.

Swooping out of the sky at a vast speed they dive into the sea, sometimes to a considerable depth, in search of the fishes which are their staple food.

The blue-footed booby gannet (Sula nebouxii), as its name implies, is easily distinguished from the other two species by his feet of a striking blue. Adults have brown spots on their backs and a white belly, which reflects the torquoise colours of the sea when they skim above the waves.

Unlike the other two species, the blue-footed booby does not venture far out to sea, preferring to fish near the coast along the channels separating the islands. The blue-footed boobies, unlike the vast majority of birds, sometimes unite in large groups to fish; they then all dive together and then regroup to dive again.

The blue-footed boobies settle near the coast on open land; some colonies number as many as several thousand birds, such as that on Daphne Island, where the crater of the volcano is hidden from view by a multitude of boobies. The nuptial parade, with its slow bowings and graceful movements of the legs, is reminiscent of a pavane at the Spanish court in the time of Philip II.

The blue-footed booby lays two or three eggs on the bare soil and usually succeeds in bringing up the young until they can feed themselves, which is not the case with the masked or blue-faced booby; this is no doubt because it fishes closer to its nest and it is therefore possible to bring fish back quickly to its young. The blue-footed booby inhabits regions where the seasons are not much differentiated, with the result that it reproduces every 7 or 8 months, rather than according to an annual cycle.

The largest species of the three, the masked booby (Sula dactylatra) has a black mask surrounding his orange-coloured eyes. The black tips of the wings and tail make a contrast with the pure-white plumage.

Colonies of masked boobies usually settle at the tops of cliffs from which they can fly off with greater ease. The masked booby is the only member of his family (the Sulidae) whose reproduction cycle is annual, but the period of reproduction varies from one island to another; it is from August to November on Genovesa and November to February on Española. Like the blue-footed booby, the masked booby lays her eggs on the bare earth. Both these species have probably lost the habit of building a nest because, on the coasts where they live, predators were rare, as also were and are trees to build them in. From the two eggs which the masked booby lays, she succeeds in raising only one chick, the weaker of the two being condemned to die of hunger after a day or two.

The smallest of the three species of booby gannets to be found on Galapagos - the red-faced or red-footed booby (Sula sula) is the one with the most graceful flight. Skimming the waves, he sometimes succeeds in catching flying fish. He has a light blue beak and red feet. He is usually brown in colour, but some - less than 5% of the Galapagos population, have a white coat spotted with black on the wings during the breeding season.

The red-footed booby, like the Abbot's booby (Sula abbotti) and unlike other species of booby gannet, builds a primitive nest with twigs on a low bush or small tree, where a single white egg is laid. Like the masked booby, it defends its nest against intruders.

Colonies of red-footed boobies are located around the perimeter of the Archipelago, particularly on the Islands of Darwin, Wolf and Genovesa where the largest colony, estimated to number 140,000 couples, is located.

Herons and Flamingoes

The great blue heron (Ardea herodias) is by far the largest of all the herons inhabiting the Archipelago. He frequents the coasts of all the larger islands, hunting on the sea shore lizards, young marine iguanas and even young birds. This heron is common throughout northern and central America.

The yellow-crowned night heron (Nyctanassa violacea), which can also be found on most of the islands, is much smaller. This is a grey bird whose back and wings are striped with black. The black head is surmounted by a very pale yellow tuft almost as white as the patch under the eyes. Although it hunts red crabs, scorpions and insects only at night, it is frequent to see it by day half asleep on a rock. Indifferent to the march of the seasons, it nests for preference in the mangrove swamps. This heron is widespread in the temperate and tropical regions of America.

Of much greater interest is the lava heron or green heron (Butorides sundevalli), for this bird is endemic to the Galapagos Islands. This is a small heron with dark, grey-green plumage which is slightly paler under the belly. The orange-coloured feet contrast with the dull aspect of the remainder of the bird. Generally a solitary, it walks slowly over the lava reefs and catches crabs and lizards. Unlike most herons, it sometimes perches on a bush overhanging the water and dives from it, like a kingfisher, onto the fishes which come within its reach. Herons have been found which combine the characteristics of this species with those of a related species the striated heron (Butorides striatus) which also lives in the Archipelago. In the present state of our knowledge of Galapagos birdlife, it is not possible to say whether these are hybrids of the two species or if the green heron and the striated heron (Butorides striatus) are merely different types of one and the same species.

The most beautiful bird in the islands, the greater flamingo (Phoenicopterus ruber) is undoubtedly also the least numerous and the one whose future in the Archipelago is most threatened. According to the census carried out by the Darwin Station in October 1968, the population numbered 512 birds. However, Harris considered in 1974 that the number of flamingoes in the island might be greater.

This timid bird cannot bear being disturbed and immediately flies away. Moreover, he will only reproduce when the level of the waters he frequents is high enough, which does not happen every year. These flamingoes do not move far from the salt lagoons and pools located on some of the islands, particularly those of San Salvador, Rabida, Floreana and Isabela. However, the species is not threatened with extinction like the James flamingo for it is to be found in many other parts of the world.

Gulls and Petrels

Two species of gull nest in the Galapagos.

The swallow-tailed gull (Creagrus furcatus) is a beautiful bird with a white plumage shaded with pale grey on the back and wings and a white head which turns dark grey during the breeding period.

The forked tail, resembling that of a swallow, and the bright red eyelids surrounding the black eyes are highly characteristic of this bird.

Unlike all other gulls, it fishes only at night, flying far away from the coast to search in the darkness for the fish on which it feeds.

The swallow-tailed gull lives in colonies along the cliffs of most of the islands of the Archipelago. However, it avoids the cold waters of the Bolivar Straits between Fernandina and Isabela. Unlike other gulls, the female lays a single egg on the bare soil among the blocks of lava. Apart from a few couples living on Malpelo Island in Colombia, the swallow-tailed gull nests only in Galapagos, where its population is estimated to be from ten to fifteen thousand couples. Outside the breeding period, which takes place every nine or ten months, the gulls leave the Archipelago to go off and fish in Ecuador and Peruvian coastal waters.

The lava gull (Larus fuliginosus), which exists only in the Galapagos Archipelago, now has a population of less than 400 couples. This is undoubtedly the rarest of sea birds, even less numerous that the Audouin's gull of the Mediterranean Islands, which is threatened with extinction in the near future.

The lava gull is not a very attractive bird; his plumage is a brownish black, like the lava among which he lives.

This gull feeds on dead fish and flotsam thrown up by the sea, which he seeks in the neighbourhood of harbours and fishing boats. Occasionally, he steals the eggs of other sea birds and kills young sea lizards.

Unlike other gulls, the couples do not form colonies but set up their solitary nests a long way from one another. No doubt, as the flotsam on which they feed is never very abundant, they have to range several miles of coast in order to find enough food for their young.

The dark-rumped petrel (Pterodroma phaeopygia) is very scarce and it too seems to be threatened with extinction. The exact number extant is not known, for their colonies, which are established on the highest and moistest slopes of the larger islands, are only active at night, and it is only possible to see these birds when they are fishing in the sea during the day. There is no doubt that their number is declining rapidly, for they are preyed upon by dogs and cats, pigs and rats. Moreover, the slopes of the mountains where they dig their holes have mostly been cleared, since they consist of the most fertile soil in the Islands. In the Islands of Hawai, where the species also lives, their situation is no better and perhaps worse.

Four other species of petrel nest on the Archipelago and nine others have been encountered there. The Galapagos storm petrel (Oceanodroma tethys) is extremely abundant; 200,000 couples nest on the Island of Genovesa.

The Tropic bird

The tropic bird which is encountered on the Archipelago belong to a quite different genus which inhabits the warm seas of the globe. Pheathon aethereus renews the exploits of the son of Apollo, whose name it bears, and darts up into the sky before diving down into the sea to catch fishes and calmars.

This is a handsome bird, white with a few black spots, with a coral-red beak and a tail decorated with two very long, slender feathers, which have earned for it the name of "straw-tail".

It builds its nest in cavities in the steepest cliffs and rock faces of the Archipelago, and lays only one egg.

Raptores

Not far from the arid coastline where the sea birds have established their numerous colonies, the prickly bushes and stunted trees of the interior contain a number of species of birds which, while less spectacular and varied than those of the coastal area, are no less worthy of interest, for a large number of the birds making up this fauna are peculiar to the Islands.

Three species of raptores, if we except the two species of owl, are to be found in the forests and scrubland of the interior. Two are only seasonal visitors - the bald buzzard and the peregrine falcon - but the third, the Galapagos hawk (Buteo galapagoensis) lives only in the Archipelago, where it is considered to be endemic, although closely related to a North American species.

This hawk was noticed for the first time at the beginning of the sixteenth century shortly after the Islands were discovered by Diego de Rivadeneira, who had taken refuge there, but it only became known to the ornithologists much later as a result of the specimens taken to Europe by Darwin and examined by Gould.

The Galapagos hawk is a large dark-brown bird, sometimes almost black, with lighter coloured feathers on the belly and tail, which is striped with black. The cere of the beak is yellow, as are also the powerful claws. When this hawk is perched on a tree, it is easy to get quite close to it; certain travellers even claim that they have stroked it without making it fly away. But when the female is sitting on her eggs or feeding her young, she will attack anyone who intrudes on her territory.

The hawk builds a roomy nest of brushwood on a tree or a rock, in which she lays from one to three eggs. Sometimes two males, or even more, help the female to bring up her young.

Like all the large raptores, the Galapagos hawk hovers very high up in the sky to detect its prey; which includes many species of sea and land birds, especially turtle doves and finches. It also feeds on rats, both indigenous and imported species, iguanas and lizards, centipedes, insects and sometimes corpses.

This bird, which was formerly present in abundance on most of the Islands except the most northerly ones, is now becoming increasingly scarce. Being the most powerful predator in the Archipelago, the Galapagos hawk had no enemies before the arrival of Man. Since then, it has disappeared from San Cristobal, Floreana and Daphne and has become very rare on Santa Cruz. Although still frequently met with on San Salvador, the total population of the Archipelago, according to some authorities, is between 100 and 200 pairs.

The decline of the large birds of prey is a universal phenomenon. The number surviving of most species is diminishing at an alarming rate and many of them are not far from total extinction. The great raptores, requiring as they do vast territories and abundant game in oder to survive

The great raptores, requiring as they do vast territories and abundant game in order to survive, are the first to be affected by the ravages caused to nature by Man. Regrettable examples of this are the majority of eagles and the mallergeyer in Europe, the Californian condor and the American bald eagle in the United States and the monkey-eating forest eagle in the Philippines.

The mocking birds

The mocking birds, which live, like the hawks, in the driest bush and woodland, are very inquisitive by nature, not at all timid, sometimes quite familiar - and always noisy.

These little birds, smaller than a blackbird, have a very dull plumage with a grey and black spotted back and a white belly. They feed on practically anything but have a marked preference for the eggs of other birds. They sometimes gang up to break the shell of an albatross egg, which takes a lot of time and many jabs of the beak.

They are to be found on all the islands of the Archipelago, but are not all identical. On Champion and Gardner Islands off the coast of Floreana the 150 mocking birds which remain have brown backs, and their white bellies are spotted in a characteristic fashion. The mocking birds on Española are the largest and have the longest, strongest and most curved beaks; they too have a slightly different colouring, particularly at the tail which has more white in it. This is undoubtedly the most differentiated of the four species of mocking birds. The San Cristobal mocking bird is intermediate between that of Española and that of Champion.

To tell the truth, the Galapagos mocking birds, which all belong to the genus Nesomimus, peculiar to the Archipelago, are very closely related to each other and may perhaps constitute a single species and not four, as is generally accepted. However, they do provide a further example of the differentiation caused by evolution when populations, originally belonging to a single species, are isolated from one another.

Darwin's finches

Like the mocking birds, Darwin's finches provide a fine example of the evolutionary divergencies which become evident when consanguineous individuals are isolated from one another. This example has become a classical one ever since Darwin adduced it as an argument in favour of his theory on the origin of species and natural selection.

Darwin finches live on the majority of the Islands and are abundant from the sea shore to the tops of the mountains. With their short flights, they scour the scorched grasslands, pecking at the seeds of every tuft they find, frolicking in the dust of footpaths and busily examining the bushes and copses, which they enliven with their piercing calls.

At first sight, these dull-coloured brown or blackish finches might almost be mistaken for ordinary sparrows. A closer examination reveals subtle differences in the colouring of the feathers but more marked differences in the size and shape of the bill. These differences enabled ornithologists to divide Galapagos finches into thirteen species distributed among four genera. This was no easy matter, for these species, which are still evolving, vary only slightly from one another and also vary but slightly from one island to another, as is shown by the 37 forms which have been described since these finches were first discovered by Darwin. Moreover, cases of cross-breeding occur frequently, which makes the systematizer's task even more difficult.

As a result of a close study of the Darwin finches it has been noted that there is a close relation between the shape of the bill and the bird's diet. Finches with short, powerful bills (Geospiza fortis and particularly Geospiza magnirostris) feed on the largest and toughest seeds they can husk with ease. The small land finch (Geospiza fuliginosa), whose bill resembles that of a sparrow, makes to with the smallest seeds. Geospiza scandens, which has a longer, though comparatively sturdy, bill slightly curved at the end, specializes in the rational exploitation of the Opuntia, eating the pulp and seeds of the fruit, the pollen of the flowers and the tenderest branches.

Platyspiza crassirostris, having a bill like that of a parrot, has adopted a vegetarian diet and feeds on the leaves, buds and fruits of the trees in which it lives. Of the five species of tree-dwelling finches inhabiting Galapagos, three have bills which, truth to tell, are not specially adapted to any particular kind of diet; they feed on both seeds and insects. On the other hand, two other species - Camarhyncus heliobates and Camarhyncus pallidus) have long bills with which they catch insects. However, they do not both use their bills in the same way, and the use Camarhyncus pallidus makes of his is a subject of particular interest to biologists. With a much longer and more slender bill than that of the other finches, he ferrets out insects and the larvae from cracks in the bark and the termite galleries of dead trees, like a woodpecker in the Old World. However, since his bill is not as long as that of a woodpecker, he resorts to a stratagem of which there is no equal in the bird world: holding a twig or, more usually a cactus thorn, cut to the right dimensions, in his bill, he roots out the insects which he cannot reach with his bill alone. This is the only known case of a bird using a tool. This exceptional behaviour makes the distinctions between instinct and intelligence laid down by the philosophers appear somewhat arbitrary.

The warbler finch (Certhidea olivacea) has completely lost the appearance of a finch, though he nevertheless belongs to the family. His olive green plumage and slender bill confer on him a distinct resemblance to the warbler, to such an extent that Darwin thought it really was one. Like the warbler, he hops from branch to branch looking for insects and spiders.

Fly-catchers

The vermilion fly-catcher (Pyrocephalus rubinus) which can be found on all the islands is about the same size as a finch but is more abundant in the moist, wooded regions of the mountain peaks. The male's plumage is mostly of a brilliant red. Alert as he perches on a branch, he darts swiftly at any insects which come within his range. This beautiful bird also inhabits the American mainland.

The large-billed fly-catcher (Myiarchus magnirostris), on the other hand, is peculiar to the Galapagos Archipelago, and his grey plumage is less brilliant.

The Galapagos dove

The Galapagos dove (Zenaida galapagoensis) is the only representative of the pigeon family in the Archipelago, where it is endemic. This fine dove, with its wine red throat and belly, has russet back and wings, spotted with black and white. The vivid blue eyelids and the metallic sheen of the breast are particularly pleasing to the eye.

The Galapagos dove is still abundant in the Archipelago, but the population on the islands where there are lots of cats, such as Santa Cruz, have seriously diminished, for it usually makes its nest on the ground among the rocks - a habit which makes it particularly vulnerable to these predators. It is not very timid and is easy to approach - a fact of which the natives did not fail to take advantage in the past by filling baskets with them and sending them to the mainland.

die vögel

Im Gegensatz zu den Säugetieren sind die Vögel auf dem Archipel reichlich vertreten.

Es ist ein unvergessliches Schauspiel, die stark bevölkerten Kolonien von Seevögeln zu betrachten, die sich an den Küsten niedergelassen haben. An diesen Ufern finden sie äusserst günstige Lebensbedingungen. Die Wasser, die die Inseln umgeben, sind sehr fischhaltig und verschaffen den Vögeln eine reichhaltige Nahrung. Ausserdem ermöglichen die kalten Wasser im warmen Klima des Äquators das Zusammenleben von Vögeln, die dort aus den verschiedensten Gegenden zusammenkamen. Ist es nicht überraschend, Pinguine, die aus den eisigen Einöden der Antarktis stammen, in Gesellschaft von Albatrossen zu sehen, die typisch tropische Vögel sind?

Die Vogelwelt der Galapagos bietet übrigens noch ein anderes beträchtliches Interesse: 28 Vogelarten dieser Insel sind dort und nur dort heimisch.

Dazu gehören: Pinguine, Kormorane, Albatrosse, Lava-Reiher, Bussarde, Rohrhühner, Gabelschwanzmöven, Lavamöven, Turteltauben, Fliegentyrannen, Schwarzschwalben, Spottdrosseln und Finken.

Die Pinguine

Der Pinguin der Galapagos ist von allen Pinguinen derjenige, der sich am weitesten nach Norden hinaufgewagt hat, indem er den Humboldtstrom längs der Küsten Chiles und Perus hinaufschwamm. Er ist der einzige Pinguin, der am Äquator anzutreffen ist.

Ungefähr 50 cm lang und 2,5 kg schwer, ist er der kleinste Repräsentant seiner Familie. Mit seinem Vetter, dem Humboldtpinguin verglichen, der längs der Küsten Chiles und Perus vorkommt, scheint er etwas aus der Art geschlagen. Der Pinguin der Galapagos sucht im Archipel nur die tiefen kalten und dadurch sehr fischreichen Wasser auf, die die Inseln Fernandina und Isabela umgeben und insbesondere die Wasser der Meerengen von Bolivar, die diese beiden Inseln trennt.

Auf dem Lande steht er entweder aufrecht auf seinen robusten Füssen, oder er liegt auf dem Bauch; er sucht die Frische und den Schatten der tief in die Lavafelder vorstossenden Grotten, wo sich die Wellen brechen. Wenn er sich auf unebenem Terrain befindet, benutzt er seine Füsse und seine Flügel; auf ebenem Boden dagegen bewegt er sich hüpfend fort. Wenn er taucht, springt er mit den Beinen voran ins Wasser. Zum Schwimmen benutzt er nur seine kurzen Flossen; die Füsse dienen ihm dabei als Ruder. Er ernährt sich ausschliesslich von Fischen, die er beim Tauchen fängt. Seine lauten Schreie erinnern an die Schreie eines Esels.

Obwohl man das ganze Jahr über Pinguinnester finden kann, ist die eigentliche Brutzeit von Mai bis August. Der Pinguin baut sein Nest in Meeresnähe, zwischen den Grotten und Spalten, die sich durch die Lavafelder ziehen und ein unentwirrbares Labyrinth bilden. So brüten die Pinguine im Schutze und im Dunkel der Lavablöcke ihre weisslichen Eier aus.

Obwohl die Pinguinkolonien nicht sehr zahlreich sind und nur an bestimmten Stellen vorkommen, ist es schwierig, sie genau zu schätzen. Lévêque nach, sollen es nicht mehr als 1500 Individuen sein, Brosset dagegen schätzt sie auf 5000. Die Wahrheit liegt wohl zwischen diesen beiden Zahlen; das ist nur sehr wenig, wenn es darum geht, das Überleben einer Gattung zu sichern. Und doch scheint der Pinguin der Galapagos augenblicklich nicht im Verschwinden begriffen zu sein, denn in den letzten Jahren soll sich die Bevölkerung nicht vermindert haben. Wahrscheinlich waren die Pinguine auf den Galapagos nie sehr zahlreich, denn man traf sie wohl nur an ganz bestimmten und besonders günstigen Stellen an; und diese günstigen Stellen waren auf dem Archipel zu allen Zeiten immer sehr beschränkt.

Der flugunfähige Kormoran

Der flugunfähige Kormoran (Nannopterum harrisi), der die Küsten derselben Inseln aufsucht, hat ein besonders merkwürdiges Aussehen. Er ist ein Vogel von dunkelbrauner Farbe, klobig und ungeschickt, mit kurzen aber starken Beinen. Seine Flügel sind nur Stummel, mit denen er nicht fliegen kann.

Man nimmt an, dass diese Vögel allmählich das Fliegen verlernt haben, weil sie sich nicht ihrer Flügel zu bedienen brauchten, um ihren Feinden zu entgehen. Neuseeland bietet dafür ein besonders bezeichnendes Beispiel: auf dieser Insel, die seit mindestens 70 Millionen Jahren vom Kontinent isoliert ist, lebte vor der Ankunft des Menschen überhaupt kein Säugetier, es sei denn Fledermäuse. Da sie keine Feinde hatten, hatten mehrere Vogelarten das Fliegen aufgegeben, z.B. die riesenhaften Dinornis, die bis zu 3 m gross wurden und vom Menschen in knapp 3 Jahrhunderten ausgerottet wurden. Augenblicklich findet man in Neuseeland vier flugunfähige Vogelarten: die drei Arten der Apteryx oder Kiwis und den Kakapo (Strigops habroptilus). Der flugunfähige Kormoran der Galapagos bewegt sich nur mit Mühe auf dem Boden fort; er macht kleine Sprünge und bedient sich seiner kurzen Flügel nur, um das Gleichgewicht nicht zu verlieren.

Im Wasser dagegen schwimmt er sehr behende, die "Flossen" gegen den Körper gepresst; zur Vorwärtsbewegung bedient er sich nur seiner mächtigen Füsse. Er wendet also eine Methode an, die der des Pinguins genau entgegengesetzt ist.

Der Kormoran nistet in kleinen Kolonien, die selten mehr als 20 Vögel zählen, genau über dem höchsten Flutpegel. Das Nest, in das er 2 oder 3 Eier legt, setzt sich aus Seealgen zusammen; es ist immer leicht vom Meer aus zugänglich. Im Gegensatz zum Pinguin entfernt sich der flugunfähige Kormoran nie von den Küsten von Fernandina oder von der Nord- und Westküsten Isabelas, wo er nistet. Im Jahre 1970 zählte Harris 663 besetzte Nester. Die augenblickliche Bevölkerung wird auf 800 Paare geschätzt.

Der Albatros

Der Albatros der Galapagos (Diomedea irrorata), Flügelspannweite, ungefähr 2,5 m, ist der grösste Seevogel des östlichen Pazifiks. Seine langen spitzen Flügel ermöglichen es ihm, ohne Anstrengung über weite Entfernungen dahinzuschweben, wobei er die aufsteigenden Luftströmungen ausnützt. Schwierigkeiten allerdings bereitet ihm der Start, und oft muss er bis zum Rand einer Klippe humpeln, bevor er sich abschwingen kann. Es kann ihm auch passieren, dass er die Landung verfehlt und dabei in ein Gebüsch fällt.

Der Albatros der Galapagos ist ein kompakter weisser Vogel, dessen Rücken mit hellgrauen Wellenlinien gestreift ist. Er hat einen mächtigen gelben, gekrümmten Schnabel, mit dem er die Fische fängt, von denen er sich ernährt.

Die Insel Española, im südlichen Archipel gelegen, ist der einzige Ort auf der Welt, wo er nistet. Harris schätzt die Zahl der auf der Insel nistenden Paare auf 12.000; sie sind auf mehrere Kolonien verteilt, in Punta Suarez, Punta Cavallos und längs der Klippen der südlichen Inselküste. Seit einigen Jahren soll ihre Zahl verhältnismässig beständig geblieben sein, obwohl ein sehr heisses und sehr feuchtes Klima den Jungen unzuträglich zu sein scheint.

Die Albatrosse paaren sich Mitte April, wobei eindrucksvolle Hochzeitsparaden, Spiele und ausgelassene, von weithin hallenden Schreien begleitete Tänze stattfinden.

Der Albatros legt nur ein einziges Ei auf den nackten Boden, das er zwei Monate lang ausbrütet. Die Eltern ernähren die Jungen bis zum Dezember; nach dieser Zeit wagen sich die Jungen aufs Meer hinaus. Im Januar fliegen alle Vögel nach Südosten in Richtung auf die Küsten Ekuadors und Chiles; ihre Insel bleibt dann verödet bis zum Monat März.

Die Fregattvögel

Die Fregattvögel mit ihren ungeheuren Flügeln, Spannweite 2,30 m sind majestätische und ausdauernde Flieger. Ihr erstaunlich geringes Gewicht - verglichen mit der Spannweite ihrer Flügel - ihr langer gegabelter Schwanz und ihre kurzen Fänge machen sie zu den besten Seglern der Welt. Stundenlang kreuzen sie über den Ufern, an denen die Tölpel ihre Kolonien errichtet haben.

Da ihr Gefieder kein Seewasser verträgt, tauchen die Fregattvögel nicht ins Meer, um die Fische zu fangen, von denen sie sich ernähren, sondern sie entwenden sie einfach den Seevögeln. Dank ihres äusserst schnellen Fluges jagen die Fregattvögel die Tölpel, greifen sie mit Schlägen ihres langen gekrümmten Schnabels an und zwingen sie, ihre Beute fahren zu lassen, die sie dann im Flug erhaschen. Die Fregattvögeln nehmen auch mit Eiern und jungen Seevögeln vorlieb und manchmal sogar mit jungen Schildkröten.

Zur Paarzeit blasen die Männchen unter ihrer Kehle einen enormen knallroten Beutel auf, der durchaus einem Luftballon ähnelt. Auf einem nur notdürftig auf einem Gebüsch errichteten Nest sitzend, mit erhobenem Kopf und halb ausgebreiteten Flügeln zeigt das Männchen, dessen Körper von krampfhaften Zuckunger geschüttelt wird, den Weibchen, die über ihm am Himmel schweben, diesen purpurnen Beutel. Sobald er ein Weibchen gefunden hat, führt dieses mit ihm ein Hochzeitsballet auf, dessen Hauptfiguren aus schnellen ungeordneten Kopfbewegungen bestehen.

Das Weibchen legt ein einziges Ei, das es zwei Monate lang ausbrütet.

Die Fortpflanzungsperiode ist im Archipel von Insel zu Insel verschieden. Die Legezeit dauert auf der Insel Genovesa von Februar bis April und auf der Insel Española von April bis November.

Man trifft auf den Galapagos zwei Fregattvogelarten an: den Bindenfregattvogel (Fregata minor) und den Prachtfregattvogel (Fregata magnificens). Im Flug sind die Männchen dieser beiden Arten nicht voneinander zu unterscheiden. Aus der Nähe gesehen haben die Flügel des Männchens des Bindenfregattvogels einen blaugrünen Schimmer, der beim Prachtfregattvogel violett ist; er hat ausserdem einen braunen Streifen auf den Flügeln, der sich aber kaum von dem schwarzgefärbten Gefieder abhebt. Die Weibchen sind dagegen leichter zu erkennen. Das Weibchen des Prachtfregattvogels trägt einen charakteristischen schwarzen Fleck unter der Kehle, während das Weibchen des Bindenfregattvogels einen vollkommen weissgefiederten Bauch hat.

Die Tölpel

Die Tölpel sind im Archipel äusserst zahlreich vertreten. Es gibt wohl kaum eine Insel, auf der man nicht ihre zahllosen Kolonien antrifft. Drei Arten - die in allen warmen Meeren vorkommen - nisten auf den Galapagos, doch sind sie für diese Inseln nicht charakteristisch, da sie auch an den Küsten des amerikanischen Kontinents vorkommen.

Die Tölpel haben eine längliche Silhouette, einen mächtigen spitzen Schnabel und breite Ruderfüsse. Die Weibchen sind immer grösser als die Männchen.

Sich aus der Luft mit äusserster Geschwindigkeit herabfallen lassend tauchen sie, manchmal bis in grosse Tiefen, auf der Suche nach den Fischen, die ihre wesentliche Nahrung bilden.

Der Blaufusstölpel (Sula nebuxii) unterscheidet sich - wie es sein Name besagt - von den anderen Arten durch seine blauschimmernden Füsse. Die ausgewachsenen Exemplare haben einen braungetupften Rücken und einen weissen Bauch, auf denen sich die türkisblauen Töne des Meeres widerspiegeln, wenn dieser Vogel dicht über dem Wasser dahin fliegt.

Im Gegensatz zu den anderen Arten wagt sich der Blaufusstölpel kaum aufs hohe Meer hinaus. Er zieht es vor, in der Nähe der Küsten und in den Meeresarmen zu fischen, die die Inseln trennen. Die Blaufusstölpel fischen manchmal in zahlreichen Gruppen, was sonst bei Vögeln ziemlich ungewöhnlich ist; Sie tauchen dann alle auf einmal und gruppieren sich dann wieder, bevor sie von neuem tauchen.

Die Blaufusstölpel errichten ihre Kolonien in der Nähe der Küsten auf freiem Feld; manche Kolonien zählen mehrere Tausend Individuen - wie zum Beispiel auf der Insel Daphné, wo der Kratergrund wegen der Menge der ihn bevölkernden Vögel nicht mehr zu sehen ist. Der Balztanz besteht aus langsamen Verbeugungen des Kopfes und langsamen Bewegungen der Füsse; er erinnert an eine Pavane am spanischen Hof zur Zeit Philipps II. Der Blaufusstölpel legt zwei oder drei Eier auf den nackten Boden. Meistens zieht er seine Jungen auf, bis sie sich allein ernähren können, was bei dem Maskentölpel nicht der Fall ist. Das kommt wahrscheinlich daher, weil er in grösserer Nähe seines Nestes fischt, sodass es ihm möglich ist, seine Beute seinen Jungen viel rascher zukommen zu lassen. Da er Gebiete bewohnt, wo es keine ausgesprochenen Jahreszeiten gibt, pflanzt sich der Blaufusstölpel alle 7 oder 8 Monate fort, ohne dabei einen Jahreszyklus einzuhalten.

Der grösste der drei Tölpel: der Maskentölpel (Sula dactylatra) trägt eine schwarze Maske um seine orangefarbenen Augen. Seine schwarzen Flügel und Schwanzspitzen kontrastieren mit dem makellos weissen Gefieder.

Die Kolonien der Maskentölpel lassen sich mit Vorliebe auf hohen Klippen nieder, von denen die Vögel leichter abfliegen können. Der Maskentölpel ist das einzige Mitglied seiner Familie - die der Ruderfüssler - der einen jährlichen Fortpflanzungszyklus einhält, der aber von Insel zu Insel wechselt. Auf der Insel Genovesa findet die Fortpflanzung von August bis November statt, auf der Insel Española von November bis Februar. Wie der Blaufusstölpel, so legt auch der Maskentölpel seine Eier auf den ebenen Boden. Diese beiden Arten haben wahrscheinlich die Gewohnheit verloren, ein Nest zu bauen, weil an den von ihnen bewohnten Küsten die Feinde selten waren. Auch gab es dort nur wenig Bäume, auf denen sie hätten nisten können. Von den beiden Jungen, die ausschlüpfen, kann der Maskentölpel nur ein einziges aufziehen, da das schwächere von beiden schon nach wenigen Tagen zum Hungertod verurteilt ist.

Die kleinste, dafür im Flug umso elegantere der drei Tölpelarten, die man auf den Galapagos antrifft, ist der Rotfusstölpel (Sula sula). Da er dicht über den Wellen dahinfliegt, gelingt es ihm manchmal, fliegende Fische zu erhaschen. Dieser Tölpel hat einen blauen Schnabel und rote Füsse. Er ist gewöhnlich braun gefärbt, hat aber manchmal - ungefähr 5 % der Bevölkerung der Galapagosinseln - während der Paarungszeit ein weisses, auf den Flügeln schwarzgetupftes Gefieder.

Der Rotfusstölpel baut, wie der Abbotttölpel - im Gegensatz zu den anderen Arten von Tölpeln - sein notdürftig aus kleinen Zweigen hergestelltes Nest auf einem niedrigen Busch oder auf einem niedrigen Baum, wo er ein einziges weisses Ei legt. Wie der Maskentölpel so verteidigt auch er den Zugang zu seinem Nest.

Die Kolonien der Rotfusstölpel findet man an der Peripherie des Archipels, vor allem auf den Inseln Darwin, Wolf und Genovesa; auf letzterer befindet sich die zahlreichste Kolonie, die man auf 140.000 Paare schätzt.

Die Reiher und Flamingos

Der grosse blaue Reiher (Ardea herodias) ist weitaus der grösste aller Reiher, die den Archipel bewohnen. Man findet ihn an den Küsten aller grossen Inseln, wo er in der Nähe des Wassers Jagd auf Eidechsen, junge Meerechsen und sogar auf junge Vögel macht. Diesen Reiher findet man auch in Nord- und Zentralamerika.

Den um vieles kleineren Nachtreiher (Nyctanassa violacea) trifft man ebenfalls auf der Mehrzahl der Inseln an. Er ist ein grauer Vogel, dessen Rücken und Flügel schwarzgestrichelt sind. Der schwarze Kopf wird von einem hellgelben fast weissen Federbusch überragt; ebenso weiss ist der Fleck, den er unter dem Auge trägt. Obwohl er nur nachts auf rote Krebse, Skorpione und Insekten Jagd macht, kann man ihn doch häufig am Tage sehen, wo er verschlafen auf einem Felsen sitzt. Unabhängig vom Rhythmus der Jahreszeiten baut er sein Nest mit Vorliebe in den Mangroven. Dieser Vogel ist ebenfalls in den gemässigten und tropischen Zonen Amerikas verbreitet.

Um vieles interessanter ist der Lava- oder grüne Reiher (Butorides sundevalli), denn dieser Vogel ist nur auf den Galapagosinseln heimisch. Er ist ein kleiner Reiher mit dunklem graugrünen Gefieder, das auf dem Leib etwas heller ist. Die orangefarbenen Beine kontrastieren mit dem unscheinbaren Aspekt des Vogels. Meistens spaziert er mit langsamen Schritten allein über die Lavaklippen, wo er nach Krebsen und Eidechsen sucht. Manchmal nistet er in einem Gebüsch über dem Wasser - was für einen Reiher selten ist. Von dort taucht er wie ein Eisvogel nach Fischen.

Man hat auf den Galapagos noch andere Reiher gefunden, die zu den eben beschriebenen Eigenschaften auch noch die einer benachbarten Art aufweisen und zwar die des Streifenreihers (Butorides striatus), der ebenfalls im Archipel wohnhaft ist. Bei dem augenblicklichen Stand der Kenntnisse über die Vogelwelt der Galapagos ist es unmöglich, genau zu wissen, ob es sich da um Kreuzungen zwischen den beiden Arten handelt, oder ob der Lavareiher und der Streifenreiher einfach zwei verschiedene Formen ein und derselben Gattung darstellen.

Der schönste Vogel der Inseln, der rosenfarbige Flamingo (Phoenicopterus ruber) kommt nur in beschränkter Anzahl auf dem Archipel vor. Seine Zukunft sieht besonders schwarz aus. Nach der von der Station Darwin im Oktober 1968 unternommenen Zählung gab es nur noch 512 Exemplare. Harris war jedoch 1974 der Meinung, dass die Zahl der auf der Insel vorkommenden Flamingos etwas grösser sein könnte.

Wenn dieser furchtsame Vogel gestört wird, fliegt er sofort davon; er pflanzt sich nur fort, wenn ihm die Wassertiefe des von ihm bewohnten Territoriums zusagt, was nicht alle Jahre der Fall ist. Die Flamingos entfernen sich nicht von den Salzlagunen und den auf einigen Inseln gelegenen Teichen - vor allem auf den Inseln San Salvador, Rabida, Floreana und Isabela. Diese Art ist aber nicht im Verschwinden begriffen, wie der James-Flamingo, denn man findet ihn an vielen anderen Stellen auf der Welt.

Sturmmöven und Wellenläufer

Zwei Arten von Sturmmöven nisten auf den Galapagos.

Die Gabelschwanzmöve (Creagrus furcatus) ist ein schöner Vogel, dessen Gefieder bis zum Rücken und den Flügeln weiss und grau schattiert ist und deren weisser Kopf während der Fortpflanzungsperiode dunkelgrau wird.

Der gezackte Gabelschwanz und die roten Augenlider, die die grossen schwarzen Augen umranden, sind sehr charakteristisch.

Eine für Sturmmöven einzigartige Tatsache: sie fischt nur bei Nacht und entfernt sich dabei von den Küsten, um im Dunkeln die Fische zu suchen, von denen sie sich ernährt.

Die Gabelschwanzmöve lebt in Kolonien längs der Klippen der meisten Inseln des Archipels; sie vermeidet jedoch die kalten Wasser der Meerenge von Bolivar zwischen den Inseln Fernandina und Isabela. Im Gegensatz zu den andern Sturmmöven legt sie nur ein einziges Ei, direkt auf dem Boden zwischen den Lavablöcken. Von einigen Pärchen abgesehen, die auf der Insel Malpela in Kolumbien nisten, findet man die Gabelschwanzmöve nur im Archipel der Galapagos, wo man ihre Bevölkerung auf 10 bis 15.000 Pärchen schätzt. Ausser während der Fortpflanzungsperiode, die alle 9 oder 10 Monate stattfindet, verlassen die Sturmmöven den Archipel, um in den Küstengewässern Ekuadors und Perus zu fischen.

Die nur auf den Galapagosinseln vorkommende Lavamöwe (Larus fuliginosus) zählt augenblicklich nicht einmal 400 Paare. Diese Sturmmöve ist zweifelsohne einer der seltensten Seevögel, noch seltener als die Audouin-Möwe - die auf den Mittelmeerinseln vorkommt und von der man annimmt, dass sie im Verschwinden begriffen ist.

Die Lavamöwe ist ein wenig anziehender Vogel mit einem Gefieder von schwärzlichem Braun wie die Lava, auf der sie lebt.

Diese Sturmmöve nährt sich von toten Fischen und von Überresten, die die Wellen ans Land spülen und die sie besonders in der Nähe von Häfen und Fischerbooten sucht. Gelegentlich vergreift sie sich an den Eiern anderer Seevögel oder auch an jungen Meerechsen.

Im Gegensatz zu den anderen Sturmmöven bilden die Paare keine Kolonien, sondern nisten einsam, in grosser Entfernung voneinander. Die Überreste, von denen sie sich ernähren sind nicht sehr zahlreich; sie müssen deshalb viele Meilen an der Küste entlang ihre Nahrung suchen, um ihre Jungen zu ernähren.

Äusserst selten sind auch die Hawaii-Sturmvögel (Pterodroma phaeopygia), die zusehends weniger werden. Ihre genaue Anzahl ist unbekannt, denn ihre Kolonien, die sie auf den höchsten und feuchtesten Abhängen der grossen Inseln gebildet haben, werden nur nachts aktiv. Man kann diese Vögel nur beobachten, wenn sie tagsüber auf dem Meer fischen. Es steht auf jeden Fall fest, dass ihre Anzahl rasch abnimmt, denn diese Sturmvögel fallen Hunden, Katzen, Schweinen und Ratten zum Opfer. Ausserdem sind die Berghänge, an denen sie ihre Nester anlegen, zum grössten Teil gerodet worden, denn sie gehören zu den fruchtbarsten Böden der Inseln. Auf den Hawaiinseln, wo diese Gattung auch nistet, geht es ihnen sogar noch schlechter.

Vier andere Arten von Sturmvögeln nisten auf den Galapagos und neun anderen ist man dort begegnet. Der Galapagos-Wellenläufer (Oceanodroma tethys) ist äusserst reichlich vertreten: 200.000 Paare nisten auf dern Insel Genovesa.

Der rotschnäblige Tropicvogel

Dieser Vogel gehört einer ganz anderen Gattung von Meeresvögeln an, die die warmen Meere bevölkert. Bei der Jagd nach Fischen und Tintenfischen lässt er sich in einem weiten Bogen vom Himmel ins Meer fallen. Diese Flugfigur erinnert an die Grosstat des Phaeton, Apollos Sohn. Daher eben auch der Name des rotschnäbligen Tropicvogels: "Phaeton".

Er ist ein schöner starker, weisser Vogel mit einigen schwarzen Flecken und einem korallenroten Schnabel; sein Schwanz ist mit zwei langen spitz zulaufenden Federn geschmückt.

Er nistet in den Höhlen der abschüssigsten Klippen und Felsen des Archipels, wo er nur ein einziges Ei legt.

Die Raubvögel

Nicht weit von den öden Küsten, wo die Kolonien der Seevögel nisten, verbergen die stachligen Büsche und die verkrümmten Bäume im Innern der Inseln eine Vogelwelt, die, wenn sie auch weniger eindrucksvoll und weniger artenreich ist als die der Küsten, doch wert ist, dass man sich für sie interessiert; denn eine grosse Anzahl der betreffenden Vögel sind nur auf den Galapagos heimisch.

Drei Arten von Raubvögeln - wenn man die beiden Kauzarten ausnimmt - trifft man in den Wäldern und im Maquis des Innern. Zwei sind nur jahreszeitliche Besucher: der Bussard und der Pilgerfalke, aber die dritte: der Bussard der Galapagos (buteo galapagoensis) nistet nur im Archipel, wo er als heimisch betrachtet wird, obwohl er einer in Nordamerika vorkommenden Gattung artverwandt ist.

Dieser Bussard wurde zum ersten Male Anfang des XVI. Jahrhunderts erwähnt, kurz nach der Entdeckung der Inseln durch Diego de Rivadeneira, der sich dorthin geflüchtet hatte; den Ornithologen jedoch wurde er erst viel später bekannt, dank der von Darwin nach Europa mitgebrachten Exemplare, die von Gould studiert wurden.

Der Bussard der Galapagos ist ein kompakter dunkelbrauner, manchmal fast schwarzer Vogel, dessen Gefieder am Bauch heller wird und dessen Schwanz schwarz gestreift ist. Das Schnabelwachs, und die mächtigen Fänge sind gelb. Wenn dieser Bussard auf einem Baume sitzt, kann man leicht sehr nah an ihn herankommen; zahlreiche Reisende behaupten sogar, ihn gestreichelt zu haben, ohne dass er davongeflogen sei. Wenn jedoch der Bussard seine Eier ausbrütet, oder seine Jungen füttert, greift er jeden Eindringling an.

Auf einem Baum oder auf einem Felsen baut sich der Bussard aus kleinen Zweigen ein geräumiges Nest, in das er ein bis drei Eier legt. Oft helfen dem Weibchen zwei oder mehr Männchen bei der Aufzucht der Jungen.

Wie all grossen Raubvögel so zieht auch der Bussard der Galapagos seine Kreise sehr hoch am Himmel, um seine Opfer, eine grosse Anzahl von See- und Landvogelarten besser zu sichten, besonders Turteltauben und Finken. Er nimmt auch mit einheimischen oder eingewanderten Ratten vorlieb, mit Leguanen und Eidechsen, mit Asseln und sonstigen Insekten und sogar mit Aas.

Früher auf den meisten kleine Inseln des Archipels weitverbreitet - mit Ausnahme der nördlichsten - ist er seither ziemlich selten geworden. Der Bussard der Galapagos, der grösste Raubvogel des Archipels, hatte vor Ankunft des Menschen keinerlei Feinde. Seitdem ist er aus San Cristobal, Floreana und Daphne verschwunden; in Santa Cruz ist er sehr selten geworden. Obwohl man ihn auf San Salvador noch häufig antrifft, soll es im ganzen Archipel höchstens noch 100 bis 200 Bussarde geben.

Das Verschwinden der grossen Raubvögel ist eine Zeiterscheinung. Die Zahl der meisten unter ihnen nimmt sogar auf alarmierende Weise ab und viele Arten sind praktisch so gut wie ausgestorben. Da sie zum Überleben über weite Territorien und zahlreiche Beutetiere verfügen müssen, sind die grossen Raubvögel immer die ersten Opfer der grossen Verwüstungen, die der Mensch in der Natur anrichtet. Der grösste Teil der Adler und der Lämmergeier Europas, der Kondor Kaliforniens, der weissköpfige Falke der Vereinigten Staaten sowie der sich von Affen nährende Adler der Philippinen, sind dafür bedauernswerte Beispiele.

Die Spottvögel

Die Spottvögel, die wie die Bussarde das Maquis und die trockensten Büsche bewohnen, sind von Natur aus sehr neugierig; sie sind keineswegs furchtsam, manchmal sogar durchaus zutraulich und lärmend.

Diese kleinen Vögel, die nicht einmal so gross sind wie eine Amsel, haben ein ganz einfaches Gefieder: der Rücken ist grau-braun gefleckt, ihr Bauch ist weiss. Als Nahrung dient ihnen fast alles, doch haben sie eine ausgesprochene Vorliebe für die Eier der anderen Vögel. Manchmal scharen sie sich zusammen, um die Schale eines Albatroseis aufzubrechen, was viel Zeit in Anspruch nimmt und zahlreich Schnabelhiebe erfordert.

Man findet sie auf allen Inseln des Archipels, doch sind sie nicht überall identisch. Auf den Inseln Champion und Gardner, sowie bei Floreana haben die 150 Spottdrosseln, die dort noch überleben, einen braunen Rücken und einen weissen, charakteristisch gefleckten Bauch. Die Spottdrosseln der Insel Española sind die grössten; sie haben den längsten, stärksten und gekrümmtesten Schnabel; sie unterscheiden sich auch farblich, vor allem durch den stärker weissgefärbten Schwanz. Diese Spottdrossel weicht am deutlichsten von den drei anderen Arten ab. Die auf San Cristobal nistende Spottdrossel ist eine Übergangsform zwischen der Spottdrossel von Española und der von Champion.

Eigentlich gehören die Spottdrosseln der Galapagos alle zur Gattung der "Nesomimus", die auf dem Archipel heimisch ist; sie sind sich alle sehr ähnlich und bilden veilleicht nur eine einzige Art, statt vier wie allgemein angenommen wird. Damit sind die Spottdrosseln ein neues Beispiel für die Differenzierung, die durch eine isolierte Entwicklung der anfangs einer selben Art angehörenden Kolonien bedingt wurde.

Die Darwinschen Finken

Wie die Spottdrosseln bilden auch die Darwinschen Finken ein Beispiel dafür, wie sich entwicklungsbedingte Verschiedenheiten einstellen, sobald verwandte Exemplare isoliert sind. Sie sind ein klassisches Beispiel, seit Darwin sie zur Beweisführung benutzte, um seine Theorie über den Ursprung der Arten und ihre natürliche Selektion aufzustellen.

Zahlreich sind die Darwinschen Finken, die auf dem grössten Teil der Inseln, sowohl an Meeresküsten wie auf Bergeshöhen nisten. Sie flattern über die Prärien mit trockenem Gras, wobei sie die Körner von den Büscheln picken; sie tummeln sich im Staub der Saumpfade, sind in Büschen und Gebüschen geschäftig, aus denen ihre durchdringenden Schreie ertönen.

Auf den ersten Blick ähneln diese braun oder schwarz gefärbten Finken den Sperlingen. Erst eine genauere Untersuchung lässt feine Verschiedenheiten in der Farbe des Gefieders und noch mehr in Grösse und Schnabelform erkennen. Diese Verschiedenheiten haben es den Ornithologen ermöglicht, die Finken der Galapagos in 13 Arten und vier Gattungen zu unterteilen. Dies war nicht ganz einfach, denn diese Arten, deren Entwicklung noch nicht abgeschlossen ist, unterscheiden sich kaum voneinander; von einer Insel zur anderen sind nur geringe Unterschiede festzustellen, wofür die 37 Formen zeugen, die seit der Entdeckung der Darwinschen Finken beschrieben wurden. Darüber hinaus gibt es auch noch zahlreiche hybride Arten, was die Aufgabe der Systematiker noch kompliziert.

Eine genaue biologische Studie der Darwinschen Finken ermöglichte es festzustellen, dass die Schnabelform in entscheidendem Masse von der Ernährungsweise des Vogels abhängt. Die Finken mit kurzem und starkem Schnabel: der Kleine Grundfink "geospiza fortis" und vor allem der Grosse Grundfink "geospiza magnirostris", ernähren sich von den grössten und härtesten Körnern, die sie leicht entschälen können. Der Mittlere Grundfink "geospiza fuliginosa", dessen Schnabel dem eines Sperlings ähnelt, nimmt mit den feinsten Körnern vorlieb. Der Kaktus-Grundfink "geospiza candens", der einen längeren aber immerhin noch relativ starken, an seinem Ende gekrümmten Schnabel hat, hat sich auf die rationelle Ausbeutung der "Opuntia" spezialisiert; er verschlingt deren Fleisch und die Körner der Früchte, den Pollen der Blüten und die zartesten Stengel. Da sein Schnabel dem der Wellensittiche ähnelt, hat der "platyspiza crassirostris" eine vegetarische Ernährungsweise angenommen: er verzehrt Blätter, Knospen und Früchte der Bäume, auf denen er lebt. Von den fünf Arten der auf Bäumen lebenden Finken, die die Galapagos bevölkern, haben drei einen Schnabel, der eigentlich nicht für eine besondere Ernährungsweise vorgesehen ist: sie ernähren sich sowohl von Körnern wie auch von Insekten. Dagegen besitzen die beiden anderen Arten: die Mangrovenfinken "camarhynchus heliobates" und die Spechtfinken "camarhynchus pallidus" einen langen Schnabel, mit dem sie Insekten fangen. Doch benutzen sie ihre Schnäbel nicht immer auf die gleiche Weise. Die Art wie ihn der "camarhynchus pallidus" benutzt, ist für Biologen ganz besonders interessant. Der "camarhynchus pallidus", der einen viel längeren und spitzeren Schnabel besitzt als die anderen Finken, bedient sich seiner nach Art der Spechte Europas: er sucht Insekten und Larven in den Spalten der Baumrinden und vermoderter Bäume. Aber da sein Schnabel nicht so lang ist wie der eines Spechtes, benutzt er einen Trick, der in der Vogelwelt einmalig ist: mit seinem Schnabel packt er ein kleines Reis oder einen Kaktusstachel von der erforderlichen Länge. Mit diesem Instrument holt er Insekten aus den Spalten, in die sein kurzer Schnabel nicht vordringen kann. Das ist der einzige bekannte Fall eines Vogels, der sich eines Werkzeugs bedient. Dieses aussergewöhnliche Verhalten lässt die von den Philosophen gemachten Unterscheidungen zwischen Instinkt und Intelligenz als hinfällig erscheinen.

Noch weiter entwickelt, sieht der Fink-Buschrohrsänger (certhidea olivacea) schon gar nicht mehr wie ein Fink aus, zu deren Familie er immerhin gehört. Sein olivengrünes Gefieder und sein feiner Schnabel verleihen ihm eine sehr starke Ähnlichkeit mit dem Buschrohrsänger, sodass Darwin ihn gar für einen solchen hielt. Wie die Buschrohrsänger springt auch er von Zweig zu Zweig und sucht in den Büschen Insekten und Spinnen.

Die Fliegenschnäpper

Der Fliegenschnäpper (pyrocephalus rubinus) ist ungefähr so gross wie der Fink; man findet ihn auf allen Inseln, doch am häufigsten in bewaldeten Gebieten und auf feuchten Höhen. Das Gefieder des Männchens ist zum grössten Teil hellrot. Sehr wendig lauert er auf einem Zweig sitzend vorbeifliegenden Insekten auf. Dieser schöne Vogel bewohnt ebenfalls den amerikanischen Kontinent.

Ihm Gegensatz zu ihm ist der Fliegentyrann (myarchus magnirostris) nur im Archipel der Galapagos heimisch; sein graues Gefieder ist weniger auffällig.

Die Turteltaube

Die Turteltaube der Galapagos (zenaida galapagoensis) ist die einzige Vertreterin der auf dem Archipel heimischen Familie der Tauben. Die Brust und der Bauch dieses hübschen Vogels sind von einem rosa Beige, Rücken und Flügel sind braunrot mit schwarz-weissen Flecken. Die hellblauen Augenlider und der metallische Schimmer der Brust fallen besonders angenehm ins Auge.

Die Turteltaube der Galapagos kommt im Archipel noch häufig vor, doch ist sie auf den Inseln mit zahlreichen Katzen stark im Abnehmen begriffen; das ist zum Beispiel in Santa Cruz der Fall. Sie nistet häufig auf ebener Erde, zwischen Felsen, eine Gewohnheit, die sie zu einer leichten Beute für ihre Verfolger macht. Da sie nicht scheu ist, kann man leicht an sie herankommen; das haben sich früher die Eingeborenen zunutze gemacht; sie füllten ganze Körbe mit Turteltauben, die sie auf den Kontinent verfrachteten.

El rabijunco establece su nido en las cavidades de los acantilados más abruptos del Archipiélago.

Le phaéton établit son nid dans les cavités des falaises les plus abruptes de l'archipel.

The red-billed Tropicbird makes its nest in cavities in the steepest cliffs of the Archipelago.

Der rotschnäblige Tropicvogel nistet in den Vertiefungen der abschüssigsten Felsklippen des Archipels.

El pingüino de las Galápagos es el más pequeño de todos los representantes de su familia y el único en aventurarse bajo el Ecuador.

Le manchot des Galapagos est le plus petit de tous les représentants de sa famille et le seul à s'aventurer sous l'Equateur.

The Galapagos penguin is the smallest of all representatives of his family and the only one to venture as far as the Equator.

Der Galapagos-Pinguin ist der kleinste aller Vertreter seiner Familie und der einzige, der sich bis zum Äquator emporwagt.

En tierra, el pingüino de las Galápagos, a veces de pié en sus patas robustas, a veces acostado boca abajo, busca el fresco y la sombra.

A terre, le manchot des Galapagos, tantôt debout sur ses pattes robustes, tantôt couché sur le ventre, recherche l'ombre et la fraîcheur.

On land the Galapagos penguin, sometimes upright on his sturdy legs, sometimes crouching on his belly, looks for shade and cool.

Auf dem Land sucht der Galapagos-Pinguin, manchmal auf seinen robusten Füssen stehend und manchmal auf dem Bauche liegend, Schatten und Frische.

Las alas reducidas y rudimentarias del Cormorán áptero no le permiten volar. El Cormorán áptero habita en pequeñas colonias justo encima del nivel de las más fuertes mareas.

Les ailes réduites et rudimentaires du cormoran aptère ne lui permettent pas de voler. Le cormoran aptère niche par petites colonies juste au-dessus du niveau des plus fortes marées.

The flightless cormorant's rudimentary wings are too short to enable him to fly. The flightless cormorant nests in small colonies just above the level of the highest tides.

Die rudimentären Flügelstumpfe des flugunfähigen Kormorans machen ihm das Fliegen unmöglich. Der flugunfähige Kormoran nistet in kleinen Kolonien, genau über dem höchsten Flutpegel.

La isla Española es el único lugar en el mundo donde habita el Albatros de las Galápagos. Para emprender su vuelo el Albatros de las Galápagos debe caminar hasta el borde de un acantilado antes de lanzarse.

L'île d'Española est le seul endroit au monde où niche l'albatros des Galapagos. Pour s'envoler, l'albatros doit marcher jusqu'au bord d'une falaise du haut de laquelle il s'élance.

Española Island is the only place in the world where the Galapagos albatross nests. In order to take off, the albatross has to walk to the edge of the cliff.

Die Insel Española ist der einzige Ort auf der Welt, wo der Albatros der Galapagos nistet. Um abzufliegen muss der Albatros bis zum Klippenrand vorhumpeln, von dem er sich dann abschwingt.

Magníficas parejas de fragatas vigilando su único huevo. (Debajo).

Cuàndo llega la estación del celo, los machos hinchan una enorme bolsa de un rojo resplandeciente debajo de su cuello. (Al lado).

Hembra de fragata grande encima de su nido. (Página 150).

La hembra de la fragata magnífica lleva una mancha negra bajo el cuello, lo cual permite distinguirla de la hembra de la gran Fragata. (Página 151).

Couples de frégates magnifiques veillant sur leur unique oeuf. (Ci-dessous).

Lorsque vient la saison des amours, les mâles des frágates gonflent sous leur gorge une énorme bourse d'un rouge éblouissant. (Ci-contre).

Femelle de grande frégate sur son nid. (Page 150).

La femelle de la frégate magnifique porte une tache noire sous la gorge qui permet de la distinguer de la femelle de la grande frégate. (Page 151).

Couples of magnificent frigatebirds guarding their single egg. (Below).

When the breeding season arrives, the male frigatebirds cause an enormous pouch of a startling red in their throat to swell up. (Opposite).

Female of the great frigatebird on her nest. (Page 150).

Female of the magnificent frigatebird, showing the black spot on the breast by which it can be distinguished from the female of the great frigatebird. (Page 151).

Wundervolle Prachtfregattvögelpärchen wachen über ihr einziges Ei. (Beiliegend).

Wenn die Paarzeit kommt, blasen die Fregattvogelmännchen einen enormen knallroten Beutel auf. (Nachstehend).

Bindenfregattvogelweibchen auf seinem Nest. (Seite 150).

Das Prachtfregattvogelweibchen trägt einen schwarzen Flecken unter der Kehle, dank dessen man es von dem Weibchen des Bindenfregattvogels leicht unterscheiden kann. (Seite 151).

Joven Fragata.·
Jeune frégate.
Young frigatebird.
Junger Fregattvogel.

Los piqueros de patas azules, en la época del celo, realizan insólitos bailes. El piquero de patas azules se encuentra con mayor frecuencia en el Archipiélago. El piquero de patas azules poniendo dos o tres huevos en el suelo.

Les fous à pattes bleues se livrent, lors de la saison des amours, à d'insolites ballets. Le fou à pattes bleues est celui que l'on rencontre le plus souvent dans l'archipel. Il pond deux ou trois oeufs sur le sol nu.

Blue-footed boobies performing unusual ballets during the breeding season. The blue-footed booby is the one encountered most frequently in the Archipelago. The blue-footed booby lays two or three eggs on the bare ground.

Die Blaufusstölpel führen während der Paarzeit ungewöhnliche Balette auf. Die Blaufusstölpel sind die Vogelart, die man am häufigsten im Archipel antrifft. Der Blaufusstölpel legt 2 oder 3 Eier auf den nackten Boden.

El piquero de patas rojas es el más pequeño de todos los piqueros que se encuentran en las Galápagos, y su vuelo tiene más gracia. El piquero de patas rojas, contrariamente a las demás especies de piqueros, construye su nido encima de un matorral o de un árbol bajito.

Le fou à pattes rouges est le plus petit des fous rencontrés aux Galapagos mais il est celui dont le vol est le plus gracieux. Contrairement aux autres espèces de fous, il construit un nid sur un buisson bas ou un arbre peu élevé.

The red-footed booby is the smallest of the boobies to be seen in Galapagos, but the one with the most graceful flight. The red-footed booby, unlike the other species of booby, builds its nest on a low bush or low tree.

Der Rotfusstölpel ist von allen Tölpeln, die man auf den Galapagos antrifft, der kleinste; doch ist sein Flug der anmutigste. Im Gegensatz zu den anderen Tölpelarten baut der Rotfusstölpel sein Nest auf einem niedrigen Gebüsch oder auf einem nicht zu hohen Baum.

El piquero enmascarado es el mayor de los piqueros que frecuentan el Archipiélago.

Le fou masqué est le plus grand des fous qui fréquentent l'archipel.

The masked booby is the largest of the booby gannets living in the Archipelago.

Der Maskentölpel ist der grösste der Tölpel, die man auf dem Archipel antrifft.

Aúnque sólo caza de noche, es frecuente encontrar de día la garza de copete amarillo; medio dormida encima de una roca.

Bien qu'il ne chasse que la nuit, il est fréquent de voir le héron à aigrette jaune pendant la journée, à demi endormi sur un rocher.

Although the yellow-crowned night heron hunts only at night, it can often be seen half asleep on the rocks during the daytime.

Obwohl er nur nachts jagt, kann man den Nachtreiher häufig bei Tage halb eingeschlafen auf einem Felsen sitzen sehen.

La garza de lava es un ave endémica de las islas Galápagos.

Le héron des laves est un oiseau endémique des îles Galapagos.

The lava heron is endemic to the Galapagos Islands.

Der Lava-Reiher ist ein auf den Galapagosinseln heimischer Vogel.

Sitio inusitado para el nido de la Garza grande. La Garza morena es sin duda la mayor de todas las que viven en el Archipiélago.

Site inhabituel pour le nid d'un grand héron. Le grand héron bleu est de loin le plus grand des hérons qui habitent l'archipel.

Unusual situation for the nest of a great blue heron. The great blue heron is by far the largest heron living in the Archipelago.

Eine ungewöhnliche Stelle für das Nest des Grossen Reihers. Der grosse blaue Reiher ist bei weitem der grösste aller Reiher, die den Archipel bewohnen.

Los Flamencos rosados poco se alejan de las lagunas y de los estancos salados situados especialmente en la Isla de San Salvador. Los Flamencos rosados son sin duda las aves más bellas del Archipiélago.

Les flamants roses ne s'écartent guère des lagunes et des étangs salés, situés notamment sur l'île de San Salvador. Ils sont sans doute les plus beaux oiseaux de l'archipel.

The pink flamengo rarely leaves the lagoons and salt lakes, most of which are on San Salvador Island. The pink flamengo is undoubtedly the handsomest bird in the Archipelago.

Die rosafarbenen Flamingos entfernen sich kaum von den Lagunen und den Salzseen, die man besonders auf der Insel San Salvador antrifft. Die rosafarbenen Flamingos sind zweifelsohne die schönsten Vögel des Archipels.

Hecho extraño, la Gaviota de cola ahorquillada sólo pesca de noche y descanza de día. La Gaviota de cola ahorquillada vive en colonia a lo largo de los acantilados de la mayoría de las islas del Archipiélago.

Fait exceptionnel, le goéland à queue d'hirondelle ne pêche que la nuit et se repose le jour. Le goéland à queue d'hirondelle vit en colonies le long des falaises de la plupart des îles de l'archipel.

An unusual feature; the swallow-tailed gull fishes only at night and sleeps during the day. The swallow-tailed gull lives in colonies along the cliffs of most islands in the Archipelago.

Die Gabelschwanzmöve gehört zu den Vögeln, die nur nachts fischen und sich am Tage ausruhen. Die Gabelschwanzmöve lebt in Kolonien längs der Klippen des Archipels.

Limitándose a las islas Galápagos, la Gaviota morena cuenta actualmente con menos de 400 parejas. Es sin duda la más escasa de las aves de mar.

Restreint aux îles Galapagos, le goéland des laves compte actuellement moins de 400 couples. Il est sans doute le plus rare des oiseaux de mer.

The lava gull, which is confined to the Galapagos Islands, at present numbers less than 400 pairs. It is undoubtedly the rarest of the seabirds.

Von der auf den Galapagosinseln heimischen Lavamöve gibt es augenblicklich kaum noch 400 Pärchen. Sie ist wohl der seltenste aller Meervögel.

Aunque es uno de los pelícanos más pequeños, el Pelícano marrón constituye una de las más grandes aves del Archipiélago.

Bien qu'il soit un des pélicans les plus petits, le pélican brun est un des plus grands oiseaux de l'archipel.

The brown pelican, although one of the smallest pelicans, is one of the largest birds in the Archipelago.

Obwohl er einer der kleinsten Pelikane ist, ist der braune Pelikan einer der grösster Vögel des Archipels.

Los Cucuves de la isla Española tienen un pico más largo que los demás Cucuves del Archipiélago. (Página 178).

Los Cucuves, curiosos de naturaleza, no tienen miedo y son a veces muy familiares. (Página 179).

Los gaviotines de cabeza blanca acompañan con frecuencia a los pelícanos cuando salen a pescar y se encaraman a veces en su dorso o cabeza. (Página anterior).

Accompagnant fréquemment les pélicans lorsqu'ils pêchent, les sternes brunes se perchent parfois sur leur dos ou leur tête. (Page précédente).

The brown noddy often accompanies the pelican when fishing, sometimes perched on its head or back. (Preceding page).

Die Noddy-Seeschwalben begleiten die Pelikane häufig beim Fischen, wobei sie sich manchmal an deren Rücken oder Kopf festhalten. (Siehe Bildext vorhergebende Seite).

El Gavilán de las Galápagos sólo vive en el Archipiélago y su número es inferior a 120 parejas. El Gavilán de las Galápagos construye un voluminoso nido con ramillas donde pone de uno a tres huevos.

Los jóvenes Gavilanes son de un color más claro que los adultos. (Página 177).

La buse des Galapagos ne réside que dans l'archipel où ses effectifs n'excèdent pas 120 couples. Elle construit un volumineux nid de brindilles où elle pond de un à trois oeufs.

Les jeunes buses sont de couleur plus claire que les adultes. (Page 177).

The Galapagos hawk is confined to the Archipelago, and there are not more than 120 pairs of them. The Galapagos hawk builds a capacious nest of twigs in which she lays from one th three eggs.

Young hawks are lighter in colour than the adults. (Page 177).

Den Galapagos-Bussard trifft man nur auf dem Archipel an, wo er höchstens 120 Pärchen zählt. Der Galapagos-Bussard baut ein umfangreiches Nest aus Reisig, in dem er 1 bis 3 Eier legt.

Die jungen Bussarde haben eine hellere Farbe als die ausgewachsenen. (Seite 177).

Les moqueurs de l'île d'Española ont un bec plus long que celui des autres moqueurs de l'archipel. (Page 178).

Très curieux de nature, les moqueurs ne sont nullement craintifs, parfois même tout à fait familiers. (Page 179).

The Española Island mockingbirds have a longer bill than those in the remainder of the Archipelago. (Page 178).

Mockingbirds are not in the least timid and are sometimes quite familiar. (Page 179).

Die Spottdrosseln der Insel Española haben einen längeren Schnabel als die anderen Spottdrosseln des Archipels. (Seite 178).

Die von Natur aus sehr neugierigen Spottdrosseln sind keineswegs furchtsam, oft sogar ganz besonders zutraulich. (Seite 179).

A veces las aguas invaden el fondo de los cráteres. (Página anterior).

Parfois les fonds de cratères sont envahis par les eaux. (Page précédente).

Sometimes the bottoms of craters are filled with water. (Preceding page).

Manchmal werden die Böden der Krater von den Wassern überschwemmt. (Siehe Bildext vorhergebende Seite).

La paloma de las Galápagos es poco salvaje y se deja fácilmente acercar. (Al lado).

La tourterelle des Galapagos est d'un naturel peu farouche et il est aisé de l'approcher. (Ci-contre).

The Galapagos dove is not in the least timid and is easy to approach. (Opposite).

Die Galapagos-Turteltaube ist keineswegs furchtsam und es ist leicht, an sie heranzukommen. (Beiliegend).

El árbol que más abunda en las Galápagos es el Palo santo, el cual durante toda la época seca, levanta sus ramas grices desprovistas de hojás.

L'arbre le plus abondant aux Galapagos est le "Palo santo", qui, tout au long de la saison sèche, dresse ses branches grises dépourvues de feuilles.

The most abundant tree in Galapagos is the "Palo santo" which stretches out its leafless grey branches throughout the dry season.

Der auf den Galapagos am häufigsten vorkommende Baum ist der "Palo santo", der während der ganzen Trockenperiode seine grauen blätterlosen Zweige zum Himmel reckt.

Al estudiar los modestos pinzones, Charles Darwin extrajó un argumento de importancia en favor de su teoría sobre el orígen de las especies y la selección natural.

De l'étude de ces modestes pinsons, Charles Darwin devait retirer un argument, et non le moindre, en faveur de sa théorie sur l'origine des espèces et la sélection naturelle.

Charles Darwin's study of the humble finches was to provide by no means the least of his arguments in favour of the theory of the origin of species and natural selection.

Das Studium dieser bescheidenen Finken hat es Charles Darwin ermöglicht, wichtige Beweise zugunsten seiner Theorie über den Ursprung der Arten und die natürliche Selektion anzuführen.

En las faldas de las montañas de Santa Cruz, pequeños bosques de Scalesia Pedunculata.

Sous-bois de Scalesia pedunculata sur les pentes des montagnes de Santa Cruz.

Undergrowth of Scalesia pedunculata on the slopes of the mountains of Santa Cruz.

Von den "Scalesia pedunculata" gebildetes Unterholz an den Abhängen der Gebirge von Santa Cruz.

Los Papamoscas cardenales prefieren vivir en las regiones elevadas, húmedas y de bosques. Sólo el macho adulto del papamoscas cardenal posee un plumaje rojo vivo. (Al lado y página anterior).

Les gobe-mouches écarlates affectionnent particulièrement les régions élevées, humides et boisées. Seul le mâle adulte est revêtu d'un plumage éclatant. (Ci-contre et page précédente).

The scarlet fly-catchers have a marked preference for high, moist wooded regions. Only the adult male of the scarlet fly-catcher has a striking plumage. (Opposite and preceding page).

Die Rubintyrannen (von der Familie der Fliegenschnäpper) halten sich besonders gern in den hochgelegenen, feuchten und bewaldeten Regionen auf. Nur das ausgewachsenen Männchen der Rubintyrannen trägt ein blendendes Gefieder. (Beiliegend und Siehe Bildext vorhergebende Seite).

Conservación y protección de la naturaleza

Es evidente el interés excepcional que representa el Archipiélago de las Galápagos para los naturalistas, profesionales o aficionados, así como para los turistas sensibles a las bellezas de la naturaleza.

Las islas han conservado hasta hoy su belleza original. Podrían pertenecer a un mundo muy antiguo, de otra época, en que los reptiles dominaban el universo.

Este mundo cerrado, al amparo de las numerosas y complejas influencias que rigieron la evolución de las especies en los continentes, es un laboratorio donde el biólogo puede seguir paso a paso el avance de las descendencias, de generación en generación.

Para los sistematólogos, la flora y la fauna del Archipiélago son de suma originalidad. ¿Será necesario recordar que muchos de los mamíferos, la casi totalidad de los reptiles, la mitad de las aves residentes, un tercio de las plantas, y gran número de insectos que pueblan el Archipiélago no existen en ninguna otra parte del mundo?

Fue necesario proteger este universo incomparable de las depredaciones de las cuales fue víctima durante los siglos pasados. Para conservado tal como era antes de que llegara el hombre, se necesitó unir esfuerzos.

Hombres de buena voluntad, allegados del mundo entero, se dedicaron a esta magnífica tarea.

Las primeras medidas de protección de la flora y de la fauna de las islas Galápagos fueron tomadas, en 1934, por el Gobierno Ecuatoriano al crear el parque nacional incluyendo la mayor parte de las islas no habitadas. La cacería fue prohibida y una autorización para desembarcar se hizo necesaria. Aquellas medidas fueron reforzadas en 1936 y el parque se amplió.

En 1955, la Unión Internacional para la Conservación de la Naturaleza organizó una misión de información en las Galápagos, a la cual sucedió, en 1957, una nueva expedición, patrocinada por la Unesco, encargada de realizar una primera evaluación del estado de la flora y la fauna en el Archipiélago y de buscar un lugar apropiado para el establecimiento de una estación permanente dedicada a la biología.

En 1958, con ocasión del centenario de la publicación de la obra de Charles Darwin sobre el origen de las especies, el Congreso Internacional de Zoología reconoció el interés de crear un centro de investigaciones en las Galápagos. Al efecto, un comité fue formado bajo la dirección de Julián Huxley. Al mismo tiempo, el Gobierno Ecuatoriano emitió nuevos decretos según los cuales se declaraba parque nacional la totalidad del Archipiélago, con excepción de las tierras ya explotadas por los colonos. En el interior del parque se adoptaron medidas prácticas para proteger integralmente la flora y la fauna.

Bajo los auspicios de la Unesco y de la Unión Internacional para la conservación de la naturaleza, se creó en 1959 la Fundación Darwin, con el propósito de realizar diferentes investigaciones y de promover los primeros programas de protección conexos con varios institutos científicos internacionales.

Los primeros trabajos de construcción de la estación comenzaron al principio del año 1960, cerca de Puerto Ayora, en Santa Cruz. La estación entró a funcionar en 1962 y fue oficialmente inaugurada en 1964.

Los primeros años fueron dedicados a la realización de un inventario sumario de la fauna y la flora del Archipiélago, luego a la determinación de las especies amenazadas. Después se elaboraron los primeros programas de protección. Paralelamente, varias misiones científicas internacionales comenzaron a llegar, y encontraron la ayuda indispensable para la continuación de sus investigaciones.

En el transcurso de los años, la estación se desarrolló y sus programas se volvieron más ambiciosos. A partir de 1965, se inició la cría de tortugas terrestres pertenecientes a las sub-especies más amenazadas en el Archipiélago. Más de 500 jóvenes tortugas fueron criadas, salvando así distintas razas, como por ejemplo la de la isla Española, que sin duda hubiera desaparecido.

El servicio del Parque Nacional fue creado en 1968. En esta época sólo contaba con dos oficiales, pero actualmente son cinco y unos treinta guardias.

El servicio del Parque trabaja en estrecha relación con la estación Darwin, además de cumplir la vigilancia de las islas y la represión de la caza furtiva, neutralizando a los animales domésticos que fueron antes introducidos, y que ocasionan numerosos daños a la flora y fauna indígenas.

En este campo grandes éxitos fueron obtenidos: 40.000 cabras que se habían vuelto salvajes fueron muertas. Han sido eliminadas de las islas Plaza, Rábida, y Santa Fe. En las islas Española, Marchena y Pinta, su número ha disminuido en gran proporción.

Sin embargo, queda una tarea considerable por cumplir. Si se logra que las iguanas terrestres que han sido reunidas con este fin en la estación Darwin, puedan reproducirse, la lucha contra los animales introducidos será siempre un problema muy difícil por resolver. La erradicación absoluta de las cabras en Pinta, Marchena, Española parece posible; en cambio la lucha contra los cerdos de Santa Cruz, Isabela y Santiago resulta ya más difícil y sólo podrá llevarse a cabo con un personal más numeroso. Parece también muy complicado evitar la propagación de babosas y hormigas, nuevamente introducidas. ¿Qué decir entonces de las ratas que pululan en la mayoría de las islas? Si se considera que una pareja de ratas negras puede tener 15.000 descendientes en un año, se tiene una idea de la amplitud del problema. Los primeros venenos que se probaron tuvieron en su fase experimental resultados prometedores, pero fueron decepcionantes cuando se utilizaron en una gran escala. Sin duda habrá que esperar el descubrimiento de algunas enfermedades infecciosas análogas a la mixomatosis de los conejos, para lograr eliminar las ratas. Considerando la importancia de las repercusiones económicas que un tal descubrimiento pudiera tener para el mundo entero, quizás no sea utópico tener la esperanza de contar con la colaboración de centros de investigaciones internacionales en este campo.

También es materia de preocupación la invasión de las islas por especies de plantas importadas. Actualmente cerca de 80 especies de plantas introducidas se multiplican espontáneamente en las islas, lo cual representa 11% de las plantas halladas en las Galápagos. Así, el guayabo reemplaza poco a poco a la especie indígena del mismo género.

Sólo una estrecha colaboración internacional, tanto científica como económica, podrá constituir una respuesta a todas estas interrogantes.

Conservation et sauvegarde de la nature

L'intérêt exceptionnel que représente l'archipel des Galapagos, pour les naturalistes, qu'ils soient professionnels ou amateurs, comme pour les touristes sensibles aux beautés de la nature, est évident.

Les îles ont conservé jusqu'à nos jours leur beauté originelle. Elles semblent appartenir à un monde très ancien, à une autre époque, celle où les reptiles dominaient l'univers.

Ce monde clos, à l'abri des influences nombreuses et complexes qui ont régi l'évolution des espèces sur les continents, est un laboratoire où le biologiste peut espérer suivre pas à pas le cheminement des lignées, de génération en génération.

La flore et la faune de cet archipel sont, pour les systématiciens d'une extrême originalité. Est-il nécessaire de rappeler que beaucoup de mammifères, la quasi-totalité des reptiles, la moitié des oiseaux résidents, un tiers des plantes, un grand nombre d'insectes, qui peuplent l'archipel, n'existent nulle part ailleurs dans le monde ?

Cet univers incomparable, il importait de le mettre à l'abri des déprédations dont il avait été l'objet au cours des siècles passés; il fallait s'efforcer de le conserver tel qu'il était avant l'arrivée des hommes.

A cette tâche, des hommes de bonne volonté, venus du monde entier, se sont consacrés.

Les premières mesures de protection de la flore et de la faune des îles Galapagos furent prises, en 1934, par le gouvernement équatorien qui créa un parc national incluant la plupart des îles non habitées. La chasse y fut interdite et une autorisation devint nécessaire pour y débarquer. Ces mesures furent renforcées en 1936 et le parc s'agrandit.

En 1955, l'Union internationale pour la conservation de la nature organisa une mission d'information aux Galapagos, à laquelle succéda, en 1957, une nouvelle expédition, sous l'égide de l'Unesco, chargée de faire un premier bilan de l'état de la flore et de la faune dans l'archipel et de rechercher un endroit approprié pour établir une station permanente consacrée à la biologie.

En 1958, à l'occasion du centenaire de la publication de l'ouvrage de Charles Darwin sur l'origine des espèces, le Congrès international de zoologie reconnut l'intérêt de créer un centre de recherches aux Galapagos. A cet effet, un comité fut formé sous la direction de Julian Huxley. En même temps, le gouvernement équatorien publiait de nouveaux décrets selon lesquels la totalité de l'archipel était déclarée parc national, à l'exception des terres déjà exploitées par les colons. A l'intérieur du parc, des mesures pratiques furent prises pour protéger intégralement la flore et la faune.

Sous les auspices de l'Unesco et de l'Union internationale pour la conservation de la nature, la Fondation Darwin fut créée en 1959, afin de réaliser différentes recherches et de promouvoir les premiers programmes de conservation, en liaison avec de nombreux instituts scientifiques internationaux.

Les premiers travaux de construction de la station commencèrent au début de l'année 1960, non loin de Puerto Ayora, à Santa Cruz. La station se mit à fonctionner dès 1962 et fut officiellement inaugurée en 1964.

Les premières années furent consacrées à dresser un inventaire sommaire de la faune et de la flore de l'archipel, puis à déterminer les espèces les plus menacées. Par la suite, furent élaborés les premiers programmes de conservation. Parallèlement, de nombreuses missions scientifiques internationales commencèrent à arriver à la station, où elles trouvèrent l'aide indispensable à la poursuite de leurs recherches.

Au cours des années, la station s'agrandit et les programmes devinrent plus ambitieux. Dès 1965, l'élevage des tortues terrestres appartenant aux sous-espèces les plus menacées de l'archipel, fut entrepris. Plus de 500 jeunes tortues furent élevées, sauvant certaines races, comme par exemple celle de l'île d'Española, d'une disparition certaine.

Le service du parc national fut créé en 1968. A cette date, il ne comptait que deux officiers, mais actuellement, il en comprend cinq et une trentaine de gardiens.

Travaillant en relation étroite avec la station Darwin, le service du parc, outre la surveillance des îles et la répression du braconnage, assure la lutte contre les animaux introduits, naguère domestiques, qui causent tant de dommages à la flore et à la faune indigènes. Dans ce domaine, de très nets succès ont été obtenus : 40.000 chèvres redevenues sauvages ont été tuées. Elles ont été éliminées des îles de Plaza, Rabida et Santa Fé. Sur les îles d'Española, Marchena et Pinta, leur nombre a beaucoup diminué.

Cependant, la tâche à accomplir reste considérable. Si l'on espère parvenir à faire reproduire les iguanes terrestres qui ont été rassemblés dans ce but à la station Darwin, la lutte contre les animaux introduits reste un problème difficile à résoudre. L'éradication totale des chèvres sur Pinta, Marchena, Española semble possible; par contre la lutte contre les cochons de Santa Cruz, Isabela, et Santiago semble déjà plus difficile et ne pourra être menée à bien qu'avec un personnel plus nombreux. Il apparait plus malaisé encore, d'éviter la propagation des limaces et des fourmis, nouvellement introduites. Que dire des rats qui pullulent sur la plupart des îles ? Si l'on considère qu'un couple de rats noirs peut avoir 15.000 descendants en une année, on aura déjà un aperçu de l'ampleur du problème. Les premiers poisons testés à un stade expérimental, eurent des résultats prometteurs, mais devaient s'avérer décevants lors de leur emploi sur une grande échelle. Sans doute, faudra-t-il attendre la découverte de quelques maladies infectieuses, analogues à la myxomatose des lapins, pour parvenir à éliminer les rats. Vu l'importance des répercussions économiques qu'une telle découverte pourrait avoir pour le monde entier, il ne sera sans doute pas vain d'espérer la collaboration des centres de recherches internationaux en ce domaine.

L'envahissement des îles par des espèces de plantes importées est également un sujet de préoccupation. Actuellement, près de 80 espèces de plantes introduites se multiplient spontanément sur les îles, ce qui représente 11% des plantes rencontrées aux Galapagos. Ainsi, le goyavier remplace peu à peu l'espèce indigène du même genre.

La réponse à toutes ces questions ne pourra être apportée que par une étroite collaboration au niveau international, tant du point de vue scientifique que financier.

Conservation and safeguard of nature

It is obvious that the Galapagos Archipelago is of exceptional interest to both professional and amateur naturalists and to all tourists aware of the beauties of nature.

The Islands have retained their natural beauty until the present day. They appear to belong to a very ancient world - to another epoch when the universe was dominated by reptiles.

This shut off world, sheltered from the many, complex influences governing evolution on the mainland, is a laboratory where the biologist is able to follow step by step the progress of descendance from one generation to another.

For the naturalist, the flora and fauna of this Archipelago are of outstanding originality. It should be remembered that many of the mammals, nearly all the reptiles, half of the resident birds, one third of the plants, and a large number of the insects inhabiting the Islands do not exist anywhere else in the world.

It was essential to shelter this incomparable universe from the depredations to which it had been subjected over the past few centuries; it was essential to try and conserve it as it was before the arrival of Man.

Men of good will from all over the world have devoted themselves to this task.

The first measures for the protection of the fauna and flora of the Galapagos Island were taken in 1934 by the Ecuador Government, which established a national reserve covering the majority of the non-inhabited islands. Hunting was forbidden there, and it was necessary to have an authorization to land there. These measures were reinforced in 1936 and the reserve was extended.

In 1955 the International Union for Conservation of Nature organized a fact-finding expedition to Galapagos; this was followed by a further expedition, under the auspices of Unesco, in 1957, for the purpose of drawing up a preliminary inventory of the fauna and flora in the Archipelago and selecting an appropriate location for a permanent biological research station.

In 1958, on the occasion of the centenary of the publication of Charles Darwin's "Origin of Species", the International Zoological Congress recognized the advantages of setting up a research station in the Archipelago. A committee was set up for the purpose under the chairmanship of Julian Huxley. At the same time the Ecuador Government promulgated new legislation making the whole of the Archipelago, apart from the land already being farmed by settlers a National Park. Within this reserve practical measure for the complete protection of the fauna and flora were taken.

Under the auspices of Unesco and the International Union for Conservation of Nature, the Darwin Foundation was set up in 1959 to carry out various kinds of research and pursue the initial conservation programmes in cooperation with a number of international scientific institutions.

Work was begun on building the research station in 1960, not far from Puerto Ayora on Santa Cruz. The station became operative in 1962 and was officially inaugurated in 1964.

The first few years were devoted to drawing up a preliminary inventory of the fauna and flora in the Archipelago and determining what species were most threatened. Later, the first conservation programmes were drawn up. At the same time, a number of international scientific missions began to arrive at the centre, where they were given the necessary assistance for pursuing their research.

Over the years the station grew and programmes became more ambitious. As from 1965, the breeding of land tortoises belonging to the sub-species most in danger of extinction in the Archipelago was undertaken. More than 500 young tortoises were raised and some races, such as the one of Española Island, were saved from an otherwise certain extinction. The National Park Service was set up in 1968. At that time it consisted of only two officers. Today, it numbers five officers and about thirty guards. The National Park Service, which works in close cooperation with the Darwin Station, in addition to supervising the Islands and preventing poaching, takes measures against the imported animals, formerly domestic, which cause so much damage to the native fauna and flora. A most marked success has been achieved in this field; 40,000 goats which had gone wild were killed. They have been eliminated from the islands of Plaza, Rabida and Santa Fe, and their number has decreased significantly on Española, Marchena and Pinta.

However, the task still to be done is considerable. While it is hoped that the land iguanas which have been collected for breeding purposes will succeed in reproducing themselves, the fight against imported animals is a difficult problem. The total eradication of goats from Pinta, Marchena and Española would appear to be possible; on the other hand, the eradication of the pigs on Santa Cruz, Isabela and Santiago presents difficulties and can only be brought to a successful conclusion with additional staff. It seems even more difficult to prevent the proliferation of slugs and ants which have been introduced recently. And what about the rats which abound on most of the islands ? When we consider that a couple of black rats can multiply into 15,000 over the course of a year, we already have some idea of the amplitude of the problem. The first poisons tested experimentally gave promising results but may well prove disappointing when used on a large scale. We shall probably have to await the discovery of infectious diseases, such as the myxomatosis which killed off the rabbits, to eliminate the rats. In view of the extent of the economic repercussions of such a discovery for the entire world, it may not be over-optimistic to hope for the cooperation of international research centres in this quest.

The invasion of the Islands by species of imported plants is also a matter for concern. At present nearly 80 species of imported plants are multiplying spontaneously on the Islands; they account for 11% of the plants to be found in Galapagos. Thus, the gavua is gradually replacing the native species of the same genus.

A solution to all these problems can only be found as the result of close cooperation, both scientific and financial, at international level.

Wahrung und Schutz der Natur

Der Archipel der Galapagos ist offensichtlich für Naturforscher - berufsmässige wie Amateure - und Touristen mit Sinn für Naturschönheitem, von höchstem Interesse.

Die Inseln haben bis auf den heutigen Tag ihre ursprüngliche Schönheit bewahrt. Sie scheinen einer anderen älteren Welt, einer anderen Epoche anzugehören, einer Epoche, in der die Reptile noch die Welt beherrschten.

Diese in sich abgeschlossene Welt, die nicht den zahlreichen und komplexen Einflüssen ausgesetzt war, die die Entwicklung der Arten auf den Kontinenten beeinflussten, stellt ein Laboratorium dar, wo der Biologe Schritt für Schritt dem Marsch der Geschlechter von Generation zu Generation folgen kann.

Flora und Fauna dieses Archipels sind für die Systematiker von äusserster Originalität. Denn wir möchten hier noch einmal daraufhin weisen, dass zahlreiche Säugetiere, fast alle Reptilien, die Hälfte der dort lebenden Vögel, ein Drittel der Pflanzen, eine grosse Anzahl von Insekten, die den Archipel bevölkern, nirgenwo anders zu finden sind.

Diese unvergleichliche Welt galt es vor Verwüstungen zu schützen, denen sie im Laufe der Jahrhunderte ausgesetzt gewesen war; es hiess, sie so zu bewahren, wie sie vor Ankunft des Menschen bestand.

Dieser Aufgabe haben sich Menschen guten Willens aus aller Welt gewidmet.

Die ersten Schutzmassnahmen für Flora und Fauna der Galapagosinseln wurden im Jahre 1934 von der ekuadorianischen Regierung getroffen, die einen Nationalpark schuf, der die Mehrzahl der unbewohnten Inseln einschloss. Die Jagd wurde untersagt.

Die Landung ist genehmigungspflichtig. Diese Massnahmen wurden im Jahre 1936 noch verstärkt und der Park vergrössert.

1955 schickte die Internationale Vereinigung für Naturschutz eine Gruppe von Experten auf die Galapagosinseln.

Im Jahre 1957 folgte eine zweite Expedition diesmal unter der Schirmherrschaft der Unesco mit der Aufgabe, eine erste Bilanz des Zustandes der Flora und der Fauna im Archipel zu ziehen, sowie einen geeigneten Ort ausfindig zu machen, auf dem man eine ständige biologische Versuchsstation errichten könnte.

1958, anlässlich des 100jährigen Jubiläums der Veröffentlichung des Werkes von Charles Darwin über den Ursprung der Arten, erkannte der internationale Kongress für Zoologie an, dass es von höchstem Interesse sei, eine Versuchsstation auf den Galapagos zu gründen. Zu diesem Zweck wurde ein Komitee unter der Leitung von Julian Huxley gebildet. Gleichzeitig veröffentlichte die ekuadorianische Regierung neue Dekrete, die den ganzen Archipel zum Nationalpark erklärten, mit Aussnahme der Böden, die schon von Siedlern nutzbar gemacht worden waren. Im Innern des Parks wurden die nötigen Massnahmen getroffen, um Flora und Fauna wirksam zu schützen.

Unter der Schirmherrschaft der Unesco und der Internationalen Vereinigung für Naturschutz wurde im Jahre 1959 die Darwin-Stiftung ins Leben gerufen. Ihre Aufgabe: unter Mitwirkung zahlreicher internationaler wissenschaftlicher Institute verschiedene Untersuchungen vorzunehmen und die ersten Naturschutzprogramme aufszustellen.

Die ersten Bauarbeiten für die Station wurden 1960 in der Nähe von Puerto Ayora auf Santa Cruz in Angriff genommen. Ab 1962 funktionierte die Station schon und wurde offiziell im Jahre 1964 eingeweiht.

Die ersten Jahre dienten dazu, ein erstes Inventar der Fauna und Flora des Archipels aufzustellen, um so die bedrohtesten Arten zu ermitteln. Dann wurden die ersten Naturschutzprogramme in Angriff genommen. Zugleich kamen die ersten internationalen wissenschaftlichen Missionen auf die Station; sie fanden dort die notwendige Hilfe für ihre Forschungsprogramme.

Im Laufe der Jahre vergrösserte sich die Station und die Programme wurden ehrgeiziger. 1965 wurde mit der Aufzucht von Landschildkröten, die den meistbedrohten Unterarten des Archipels angehörten, begonnen. Über 500 junge Schildkröten wurden aufgezogen und so zahlreiche Rassen gerettet, wie z.B. die der Insel Española, die sonst vollkommen verschwunden wären.

Im Jahre 1968 wurde der Nationalparkdienst gegründet. Das Personal, zunächst nur aus zwei Beamten bestehend, umfasst augenblicklich sechs Beamte und ungefähr 30 Aufseher.

In enger Zusammenarbeit mit der Station Darwin kümmert sich das Wachpersonal ausser um die Bewachung der Inseln und die Bekämpfung des Wilderns auch um die Ausrottung von verwilderten Haustieren, die viel Schaden an Flora und Fauna anrichten. In diesem Kampfe wurden grosse Erfolge erzielt: 40.000 verwilderte Ziegen wurden getötet. Auf den Inseln Plaza, Rabida und Santa Fé wurden sie ausgemerzt. Auf den Insel Española, Marchena und Pinta hat sich ihre Zahl stark vermindert.

Doch sind immer noch bedeutende Aufgaben auszuführen. So hofft man, die Fortpflanzung der Leguane zu sichern, die zu diesem Zweck auf die Versuchsstation Darwin gebracht wurden. Das schwierigste Problem bleibt aber weiterhin die Bekämpfung der schädlichen Tiere. Die totale Ausmerzung der Ziegen auf Pinta, Marchena und Española scheint möglich zu sein; dagegen ist die Bekämpfung der Schweine von Santa Cruz, Isabela und Santiago schon viel schwieriger und könnte nur mit einem zahlreicheren Personal zuende geführt werden. Es ist ebenfalls schwierig, der Verbreitung von Schnecken und Ameisen Einhalt zu gebieten, die kürzlich auf den Inseln aufgetaucht sind, ganz zu schweigen von den Ratten, von denen es auf den meisten Inseln nur so wimmelt. Wenn man bedenkt, dass ein einziges Paar schwarzer Ratten in einem Jahr 15.000 Nachkommen haben kann, kann man sich schon eine ungefähres Bild von der Bedeutung dieses Problems machen. Die ersten Gifte, die im experimentellen Stadium ausprobiert wurden, ergaben vielversprechende Resultate, versagten aber bei ihrer Anwendung auf dem Terrain. Man muss wahrscheinlich wohl die Entdeckung von Infektionskrankheiten "sui generis" - wie die Myxomatose der Hasen - abwarten, bevor es gelingen wird, die Ratten auszumerzen. Da eine solche Entdeckung bedeutende wirtschaftliche Auswirkungen für die ganze Welt mit sich bringen würde, kann man wohl auf die Mitarbeit der internationalen Forschungsinstitute auf diesem Gebiet rechnen.

Das Überhandnehmen von eingeführten Pflanzenarten ist ebenfalls besorgniserregend. Augenblicklich entwickeln sich ungefähr 80 eingeführte Pflanzenarten spontan auf den Inseln, was 11% der auf den Galapagos wachsenden Pflanzen ausmacht. So verdrängt der Guayavenbaum nach und nach eine einheimische Art der selben Gattung.

Alle diese Fragen können nur durch enge Zusammenarbeit auf internationaler Ebene gelöst werden, und dies sowohl vom wissenschaftlichen als auch vom finanziellen Standpunkt aus.

Las Miconia pertenecen a un género endémico del Archipiélago.
Les Miconia appartiennent à un genre endémique de l'archipel.
The Miconia belong to a genus endemic to the Archipelago.
Die "Miconia" gehören einer auf dem Archipel heimischen Gattung an.

Hacia 400 metros de altura, las Miconia suceden a los bosques de Scalesia.

Vers 400 mètres d'altitude, les buissons de Miconia succèdent aux forêts de Scalesia.

At a height of about 1300 feet, the Miconia bushes take over from the Scalesia.

Ab 400 m Höhe werden die "Scalesia" -Wälder von "Miconia"- Büschen abgelöst.

El maravilloso helecho arborescente de las Galápagos crece en las faldas de los cráteres; los más húmedos de la isla de Santa Cruz.

La merveilleuse fougère arborescente des Galapagos croît sur les pentes des cratères les plus humides de l'île de Santa Cruz.

The wonderful tree fern of Galapagos grows on the moistest slopes of the craters in the Island of Santa Cruz.

Die wundervollen baumartigen Farnkräuter der Galapagos wachsen auf den Abhängen der feuchtesten Krater der Insel Santa Cruz.

La isla de Bartolomé de noche. (Página siguiente).

L'île de Bartolomé le soir. (Page suivante).

Bartolome Island in the evening. (Following page).

Die Bartolomäusinsel am Abend. (Folgende Seite).

Los fondos de algunos cráteres están ocupados por turberas donde crecen musgos y helechos habitados por insectos muy peculiares.

Les fonds de certains cratères de l'île de Santa Cruz sont occupés par des tourbières où croissent des mousses et des fougères qui abritent des insectes très particuliers.

The bottoms of certain craters on the Island of Santa Cruz are filled with peat bogs in which grow mosses and ferns which attract very special insects.

Die Böden von gewissen Kratern der Insel Santa Cruz werden von Torfmooren eingenommen, wo Moos und Farnkräuter wachsen, in denen man die merkwürdigsten Insekten antrifft.

Una "Scalesia villosa" de la isla de Floreana.
Une Scalesia villosa de l'île de Floreana.
A Scalesia villosa on the Island of Floreana.
Eine "Scalesia villosa" von der Insel Floreana.

Si los turistas observan cierta disciplina, el efecto que ejercen sobre la flora y la fauna podrá sin duda ser tolerado por éstas.

Si les touristes observent une certaine discipline, l'effet qu'ils exercent sur la faune et la flore pourra sans doute être toléré par celles-ci.

If tourists maintain a certain degree of discipline, their effect can undoubtedly be tolerated by the fauna and flora.

Wenn die Touristen sich einer gewissen Disziplin unterwerfen wollten, würden sowohl die Flora als auch die Fauna der Inseln nicht zu sehr unter ihnen zu leiden haben.

Pionero del descubrimiento de las Galápagos abiertas a los visitadores extranjeros, respetuosos y sensibles al encanto de las islas, del comienzo del mundo.

Pionnier de la découverte des Iles Galapagos ouvertes aux visiteurs étrangers, respectueux et sensibles au charme des Iles du début du Monde.

Pioneer of the discovery of the Galapagos Islands open to foreign visitors, respectful of and sensitive to the charm of the islands from the beginning of time.

Pionier bei der entdeckung der Galapagos Inseln die nunmehr für Ausländische Besucher geöffnet sind. Voller Respekt und Bewunderung für den Liebreiz dieser Eilande des Anfangs der Welt.

Niños jóvenes jugando en una playa de Santa Cruz.

Jeunes enfants jouant sur une plage de Santa Cruz.

Young children playing on a beach at Santa Cruz.

Junge spielende Kinder am Strand in Santa Cruz.

Cuando alcanzan la edad de 3 años, se concede libertad, en su isla de origen, a las jóvenes tortugas, criadas en la estación Darwin, pues nada tienen que temer de sus enemigos a esta edad.

Lorsqu'elles ont atteint l'âge de trois ans, les jeunes tortues, élevées à la station Darwin, sont relâchées sur leur île d'origine, car à cet âge elles n'ont plus rien à craindre de leurs ennemis.

When young tortoises raised at the Darwin Station reach the age of three, they are released to their island of origin, since at this age they no longer have anything to fear from their enemies.

Im Alter von 3 Jahren werden die auf der Versuchsstation Darwin gezüchteten Schildkröten auf ihrer Ursprungsinsel losgelassen, denn in diesem Alter haben sie nichts mehr von etwaigen Feinden zu befürchten.

Vista del edificio donde se efectuá la incubación y crianza de las jóvenes tortugas en la Estación Darwin.

Vue de l'édifice où s'effectue l'incubation et l'élevage des jeunes tortues à la station Darwin.

The building where the incubation and breeding of tortoises takes place at Darwin Station.

Ansicht des Gebäudes, wo das Ausbrüten und die Aufzucht der jungen Schildkröten der Versuchsstation Darwin stattfindet.

Nous tenons à remercier très vivement tous ceux qui ont collaboré, directement ou indirectement, à la réalisation de cet ouvrage.

Nous tenons à remercier en particulier,

Les autorités gouvernementales de la République de l'Equateur, notamment l'Ambassadeur de l'Equateur Monsieur Luis Ortiz Teran, Directeur Général des Affaires Etrangères, et le Professeur Dario Lara, conseiller culturel de l'Ambassade de l'Equateur à Paris.

Le directeur de la Station Darwin Monsieur Craig Mac Farland et son sous-directeur Monsieur José Cañon.

Le Professeur Jean Dorst, Directeur du Museum national d'Histoire naturelle de Paris.

Madame Françoise de Tailly, conseillère technique.

L'Ambassadeur Remolo Botto, Délégué permanent du Bureau d'Education Ibéro-Américain auprès de l'Unesco.

Monsieur Eduardo Proaño, Directeur de Metropolitan Touring.

Monsieur Hernán Rodriguez Castelo.

La Compagnie aérienne Avianca et ses représentants à Paris, Messieurs Pedro de Brito et Dominique Delavergne.

Aquarelles : Gaëtan du CHATENET

Photographies : Christian ZUBER - Gaëtan du CHATENET - Pierre PITON - J.Y. BOISSON - Dominique DELAVERGNE

Traduction :
Françoise de TAILLY (Textes espagnols)
Collin NORRIS (Textes anglais)
Helmut LEIBHOLZ (Textes allemands)

Collaboration technique et maquette : René MOSER

Imprimé sur les Presses des Editions DELROISSE
113, rue de Paris - 92100 BOULOGNE - France
Dépôt légal N° 791
ISBN 2-85518-030-9

Distribution exclusive en Equateur
Libreria LIBRI MUNDI
Juan Leon MERA - 851
Casilla 3029 - Tél.: 234-791 - Quito